门萨终极挑战 2
THE PUZZLE CHALLENGE 2

世界图书出版公司

上海 · 西安 · 北京 · 广州

图书在版编目（ＣＩＰ）数据

门萨终极挑战.2/（美）艾伦,（美）查腾,（美）斯吉特著；罗密译.
—上海：上海世界图书出版公司,2011.4

ISBN 978-7-5100-3376-6

Ⅰ.①门? Ⅱ.①艾? ②查? ③斯? ④罗? Ⅲ.①智力测验
Ⅳ.①G449.4

中国版本图书馆 CIP 数据核字 (2011) 第 034635 号

门萨终极挑战2

[美]罗伯特·艾伦　戴夫·查腾　卡罗琳·斯吉特 著
罗密 译

上海世界图书出版公司出版发行

上海市广中路88号

邮政编码 200083

昆山市亭林印刷有限责任公司印刷

如发现印刷质量问题,请与印刷厂联系

（质检科电话：0512-57751097）

各地新华书店经销

开本：890×1240　1/32　印张：8　字数：250 000
2011年4月第1版　2011年4月第1次印刷
ISBN 978-7-5100-3376-6 / G · 278
图字：09-2011-004号
定价：19.00元

http://www.wpcsh.com.cn
http://www.wpcsh.com

门萨是什么？

门萨是针对高智商人士的国际俱乐部。我们拥有超过10万名会员，遍布全世界40多个城市。

俱乐部的宗旨是：

✓ 从人类利益出发，确认、培养以及巩固人类智商；
✓ 鼓励开发研究人的智力本能、特征和用途；
✓ 为会员提供宝贵的智力刺激、交流和发展的机会。

智商测试分数排名前2%的人都可以成为门萨的会员，你是否是我们正在寻找的"1/50"？

门萨的会员制度提供以下良好的福利：

✓ 国内和国外的各种活动；
✓ 特殊兴趣小组，从艺术到动物学应有尽有，
  提供几百个培养你兴趣爱好的机会；
✓ 会员月刊和地区通讯；
✓ 地区会议，有游戏挑战，也有美食饮料；
✓ 国内和国际的周末集会与会议；
✓ 智力刺激演讲及研讨会；
✓ 为旅行者和房东而设的全球性网站。

    想知道更多关于门萨俱乐部的信息，请浏览
www.mensa.org

目　录

CONTENTS

前　言

本书收录了大量益智类题目，所包含的题目可分为两种不同的类型。每张双开面版面中，你会发现一或两道视觉类脑筋急转弯、逻辑或水平思考谜题。脑筋急转弯题目需要动用你的观察力、常识、条理性思维和耐性，才能找到答案。切记，显而易见的答案不一定正确！逻辑题同样也需要你各种不同的能力。有些需要运用数学思维，有些只是简单的猜谜游戏，还有些就只能靠单纯的运气。不论面对何种难题，关键是永不放弃——你永远也无法知道灵感何时就会降临。

所有的题目没有特定的排列顺序，你可以从前往后做，跟着感觉走，当然从后往前做也没有问题。行动起来，好好享受书中各式各样的谜题吧！

谜题 1

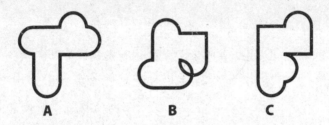

A与B的关系如图所示,则C应与以下哪个图形匹配?

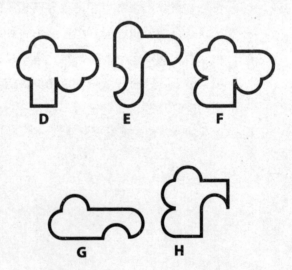

参见第244页答案117。

消失的人

　　一个寒冷的冬日清晨,简妮沿着乡村小路漫步。路的两侧各有4幢房子。简妮注意到每幢房子的大门颜色各不相同,门前车道上停的车子颜色也都不相同。在一幢房子门口,简妮看到花园里站着一个人。他穿得很讲究,还戴着帽子和围巾保暖。她向那个人挥手打招呼"你好!"那个人对她微笑。当天晚些时候,她沿着同一条路返回的时候又看到了那个人。她对他招手,跟他说,"天气已经暖和了,没早上那么冷。"那个人依然对她微笑,她继续向前走,边走边数经过的汽车数量。第二天,简妮经过这条路的时候,发现那个人不见了。他到哪里去了呢?

> **提示**
> 1. 他没有进屋,或者进入其他房子。
> 2. 他没有沿着小路任何一个方向走开。
> 3. 他没有开车去往其他地方。

参见第235页答案7。

3

谜题 2

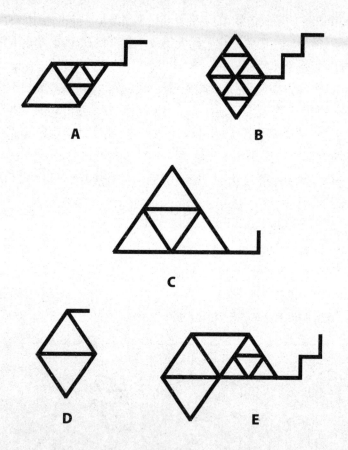

按一定规律构成图形,你能找出以上图形中哪一个没有按此规律构成吗?

参见第 246 页答案 170。

上 升

　　一个人正在山间探险,突然间滑了一下,摔倒在地。滑倒前,他距山顶150英尺,但是滑倒后他却在山顶。余下的路程他并没有继续攀爬,也不是由他的同事拉到山顶的。他怎么会滑到山顶呢?

提示

1. 他一直在同一座山,山顶在他上面。
2. 他没有氢气球或氦气球的协助。
3. 不涉及任何绳索或滑轮。
4. 不涉及上升热气流。

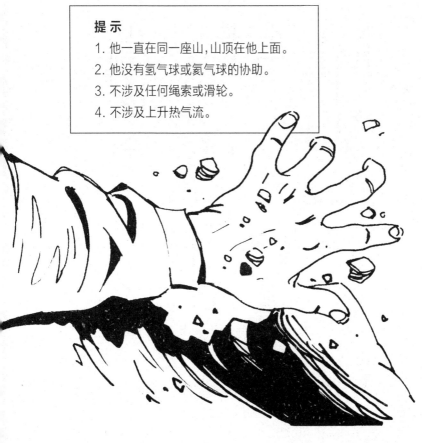

参见第240页答案68。

谜题 3

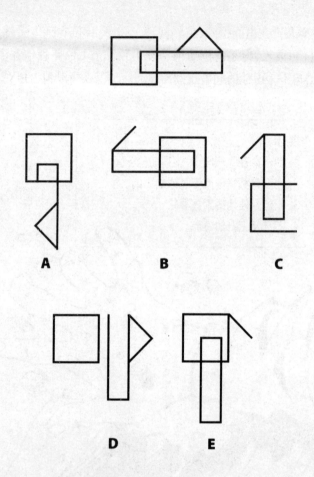

上列选项中哪个图示只需添加一根直线就可以满足上方图形的条件?

参见第 245 页答案 145。

节假日

　　国王亨利想变更所有的节假日,便将所有的大臣召集到一起。他颁布假日将是每周的第一天和最后一天,分别是Saturday(星期六)和Friday(星期五)。这样需要按照一定顺序从第一天到最后一天重新排列一周的每一天。新的一周排列顺序是怎样的?

参见第237页答案38。

谜题 4

J Q G O T D
Y N S Z P
W K M V H F

大多数字谜游戏都会给你一大堆字母挑选。这里可不一样哦。上面的字母是在游戏过程中不需要用到的字母！

参见第247页答案176。

谜题 5

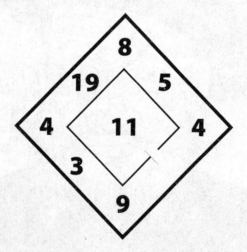

上面的等式中缺少了四则运算符号。你能填上吗？

参见第247页答案184。

均 分

三个美国小孩正在数钱,他们发现每个人只有一种面值的硬币,每个人所持有的硬币面值不同,硬币数量也不相同。经过计算,如果每个孩子给另外两个孩子每人各2个硬币,则他们所持有的硬币总额就相等。

如果最终他们每个人有1.8美金,那么最初他们分别持有哪种面值的硬币,数量是多少?

参见第243页答案103。

9

谜题 6

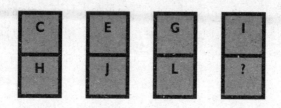

你能弄清以上多米诺骨牌背后的逻辑关系,找出缺失的字母吗?

参见第 244 页答案 122。

谜题 7

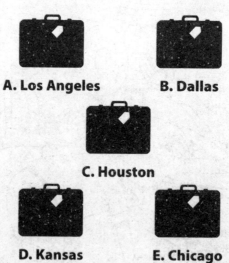

A. Los Angeles **B. Dallas**

C. Houston

D. Kansas **E. Chicago**

所有行李箱的目的地如图显示。哪一个不合规律?

参见第 240 页答案 60。

我的作业是正确的！

当地一所幼儿园内,老师给孩子们出了几道数学题作为回家作业。第二天,老师把汤姆叫出来并告知他,作业全部都错了。

他的答案是:

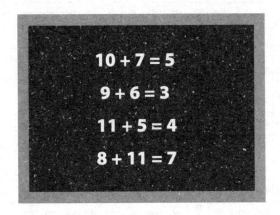

$$10 + 7 = 5$$
$$9 + 6 = 3$$
$$11 + 5 = 4$$
$$8 + 11 = 7$$

为什么汤姆认为他的答案是正确的?

参见第241页答案90。

谜题 8

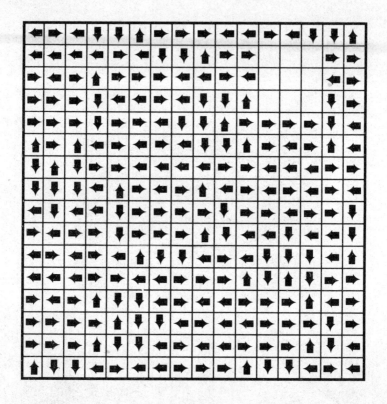

上面的方阵根据一定的规律构成。你能找出这个规律并完成缺失的部分吗？

参见第235页答案9。

吝啬鬼鲍勃的遗嘱

老鲍勃非常吝啬,从来都不花钱。他在遗嘱上表示希望和他的财产收益一起火化。他不想把钱留给亲戚们。

当他的遗嘱公布的时候,亲戚们表示他立遗嘱时头脑不大清楚。法官判决鲍勃当时头脑清醒,因此应当遵守他的遗嘱。

但是最终法官找到一个折中方案,既遵从了鲍勃的遗嘱,又取悦了那些亲戚。他是怎么做到的呢?

参见第243页答案110。

谜题 9

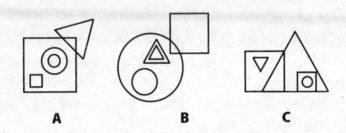

A 与 B 的关系如图所示,则 C 应与以下哪个图形相匹配?

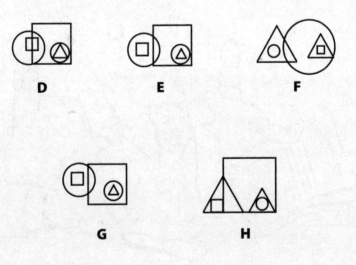

参见第 247 页答案 173。

我们捉鬼去！

一幢古老的城堡被改建成酒店。几个月后,有很多人说见到鬼。很多客人取消预订,经理承受了很大的压力,但是同时有捉鬼人慕名前来酒店。问题是他无法保证鬼出现的时间,直到有一天他发现了鬼出现的时间有一定的规律。如果他可以预测鬼出现的地点和时间,他就可以让所有的客人高兴。

他发现,从1月到3月,3号房每隔一晚就会闹鬼。从4月到6月,4号房每隔三晚会闹鬼。从7月到9月,9号房每隔四晚会闹鬼。现在他需要预测当年最后一个季度鬼出现的房间和出现频率。他是怎么做到的? 答案会是什么呢?

参见第237页答案40。

15

谜 题 10

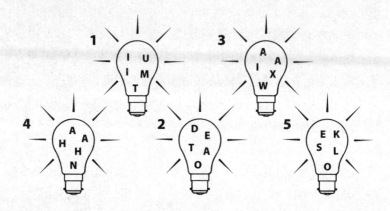

　　按序号依次从每个灯泡中挑出一个字母。你会找到5个美国州名和多出的两个字母。它们分别是什么？

参见第238页答案46。

谜 题 11

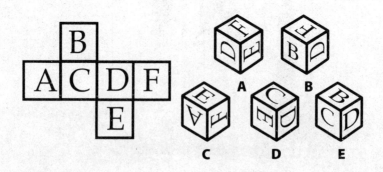

哪个立方体不是由上面的平面展开图折成的？

参见第246页答案167。

不安定的和平

两大发生冲突的部落坎贝尔和麦弗逊由于双方首领的子女联姻而握手言和。但是部落的成员仍然异常忠于自己的部落,不信任对方。最初几年,双方所有的活动都由各自部落派出相同数量的成员参与,包括建造房屋、打猎、钓鱼、烹饪等。

一天,一艘载着30名船员的渔船(双方各15人,由坎贝尔部落领导)不幸遇到了强风暴,船开始下沉。出征船长与船员达成一致,他们中一半的人将冒险游回岸上,以挽救渔船和剩下的船员。船长表示在挑选离开船员的过程中将保持公正,他让所有人站成一圈,每数到第9个人即是要离开的人。船员都同意了,他们每个人都被指派到一个位子,分别用数字1～30表示。

他是如何让船员排列,保证被选中的全部都是麦弗逊部落成员?

参见第235页答案2。

谜题 12

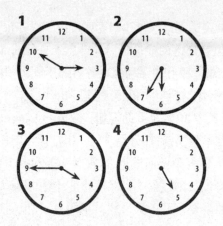

你能计算出第四个钟缺失的指针应该指向几吗？

参见第245页答案137。

谜题 13

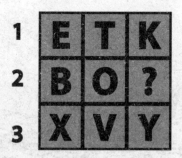

你能弄清上面正方形背后的逻辑关系，找出缺失的字母吗？

参见第242页答案91。

强壮的游泳健将

一个优秀的游泳选手在地中海中央从船上跳下。他只游了距他的船100英尺的距离,就遇溺下沉了。发生了什么事?

提 示

1. 他没有抽筋,他的身体和心理都很健康。
2. 海浪很小,对悲剧的发生没有影响。
3. 无任何第三方介入,他的死亡并非由于鲨鱼或海盗袭击。
4. 他没有被卷入任何渔网或水草。
5. 他所在的位置,没有任何游泳选手可以存活。
6. 他下沉地方的水温比其他地方略高几度。

参见第237页答案45。

谜题 14 ....

Z	R	T	T	U	W	W	Z	Z	S	Z	R	T	T	U	W
S	Z	Z	W	W	U	T	T	R	Z	S	Z	Z	W	W	U
Z	S	Z	R	T	T	U	W	W	Z	Z	S	Z	R	T	T
Z	W	W	U	T	T	R	Z	S	Z	Z	W	W	U	T	T
W	Z	Z	S	Z	R	T	T			Z	Z	S	Z	R	R
W	U	T	T	R	Z	S	Z			U	T	T	R	Z	
U	W	W	Z	Z	S	Z	R			W	W	Z	Z	S	
T	T	R	Z	S	Z	Z	W	W	U	T	T	R	Z	S	Z
T	T	U	W	W	Z	Z	S	Z	R	T	T	U	W	W	Z
R	Z	S	Z	Z	W	W	U	T	T	R	Z	S	Z	Z	W
Z	R	T	T	U	W	W	Z	Z	S	Z	R	T	T	U	W
S	Z	Z	W	W	U	T	T	R	Z	S	Z	Z	W	W	U
Z	S	Z	R	T	T	U	W	W	Z	Z	S	Z	R	T	T
Z	W	W	U	T	T	R	Z	S	Z	Z	W	W	U	T	T
W	Z	Z	S	Z	R	T	T	U	W	W	Z	Z	S	Z	R
W	U	T	T	R	Z	S	Z	Z	W	W	U	T	T	R	Z

你能找出以上方阵的规律,并完成缺失的部分吗?

参见第243页答案115。

西门修士

西门修士是某个已经不复存在的团体的修道士。然而,他得到一份新工作,它能保证原来的修道院每年从旅行者处募集到几千英镑款项。当旅行者们被带到他原先住的房间后,房门即被锁上,所有的旅行者都被锁在屋内。房间只有一扇小窗,窗子太小,人无法通过,但是西门修士每次都可以成功出去。他是如何做到的?

提示

1. 他没有钥匙,也没有撬锁。门没有打开。

2. 墙壁很结实,没有松动的石头。

3. 他没有从上面或下面逃离房间。

4. 他离开的时候房间温度上升。

5. 我不会和西门修士一起进入房间。

参见第236页答案19。

谜题 15

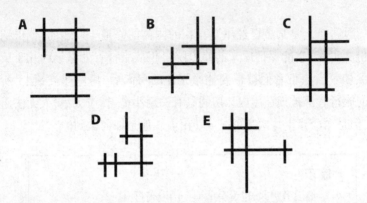

按一定规律构成图形,你能找出以上图形中哪一个没有按此规律构成吗?

参见第247页答案179。

谜题 16

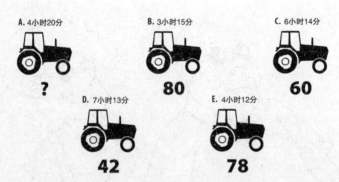

每辆拖拉机的工作时间如图所示。拖拉机下方的数字代表收获的土豆吨数。显然这其中包含某种奇怪的逻辑关系！拖拉机A共收获多少吨土豆?

参见第241页答案90。

皇帝的新衣

我们都听说过关于皇帝和那件只有聪明人才能看得见的神奇衣服的故事,但是你知道从反面验证这个故事吗?

一群人观看游行,他们看到游行队伍所有的人都没穿衣服。但事实上当时他们都穿着衣服。这是怎么回事?

提 示

1. 没有催眠。

2. 没有使用光线特技或特殊玻璃。

3. 没有使用 X 光。

4. 人群与超人无关。

5. 他们没有脱衣服,也没有经过两次。

参见第 241 页答案 82。

谜 题 17

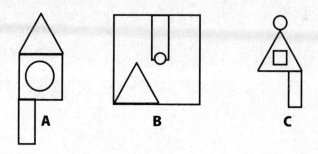

A与B的关系如图所示,则C应与以下哪个图形相匹配?

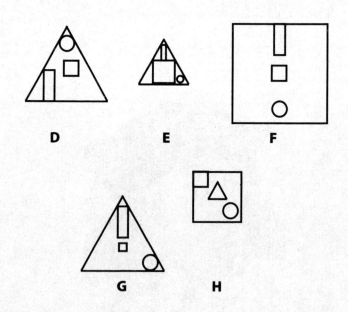

参见第243页答案106。

彩票得主

　　本周的彩票由一个10人组成的团体赢得。他们总共获得2,775,000英镑奖金。他们每个人的出资数额不等,他们获得的奖金根据他们的投入计算。假设奖金数目各不相等,但是每两级奖金之间的差额相等,且最低的三项奖金与最高的两项总金额相等,那么第二大奖金得主获得多少奖金?

参见第240页答案67。

谜 题 18

F C J Z I E
W K L P Y
Q H B V G X

来一个字谜游戏,所给出的字母都是不需要用到的字母。你只要找到正确的字母,就可以辨识出一位星象学家的名字。请注意! 有两个字母会用到两次。

参见第247页答案177。

谜 题 19

1   2   3

C	R	F
J	T	B
Y	E	

你能弄清上面正方形背后的逻辑关系,找出缺失的字母吗?

参见第242页答案93。

安东尼和克里奥佩特拉

一个士兵在一罗马式建筑里发现安东尼和克里奥佩特拉死了,二具尸体相距几英尺。他立即叫来奥大维,后者确认他们已经死亡。奥大维排除中毒,也没有迹象显示属于谋杀。他看到两具尸体之间的地板上有一处裂缝,由此他得出结论:正是这条裂缝导致了他们的死亡。他是对的,但是他们是怎么死的呢?

提 示

1. 他们不是被勒死或窒息致死。

2. 他们都是赤裸的。

3. 他们都是游泳好手。

4. 他们不是因为跳入空浴缸或泳池而受伤。

参见第237页答案36。

谜题 20

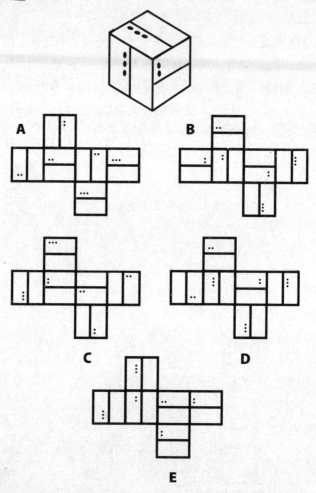

以上哪个平面展开图可以折出上方的立方体?

参见第245页答案149。

尼龙滚珠

　　一家工厂使用尼龙聚合物生产出数百万粒小滚珠。这种小滚珠的坚韧度不可思议,还具有重量轻、价格低廉等优点。在水泥地上放置几十粒,可以支撑一辆卡车的重量。滚珠储藏在高15英尺的大型木箱中。正常情况下,这种材料安全无毒。经验尸官查验后,一个工人的死亡被认为很不寻常。为什么?

> **提 示**
> 1. 他不是在生产过程中死亡的。
> 2. 他的死亡并不是使用滚珠而导致的。
> 3. 他没有被异物袭击或重击致死。
> 4. 他的致死原因并不是由材料或火灾引发的
> 　 毒烟。

参见第235页答案6。

谜题 21

A   B   C

A与B的关系如图所示，则C应与以下哪个图形相匹配？

D   E   F

G   H

参见第247页答案178。

漂浮的气球?

　　一家人用空气给几个不同大小的气球充气后,将气球口扎紧防止漏气。他们将气球扔在客厅地板上,然后就外出购物去了。当他们回到家,他们在房子外面看到客厅里所有的气球都在距地板两英寸距离的地方。这是为什么?

提示

1. 房间和气球的温度相同,所有的门都关紧了。门还安装了密封条。
2. 气球内不含比空气轻的气体。
3. 气球没有绳子绑缚,也不涉及任何冲击波。
4. 静电或电荷并非起因。
5. 起因也并非是空气流通。

参见第236页答案28。

谜题 22

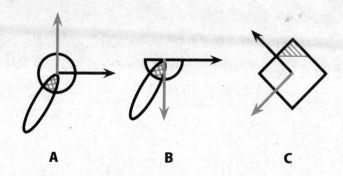

A　　　　　　　B　　　　　　　C

A 与 B 的关系如图所示,则 C 应与以下哪个图形相匹配?

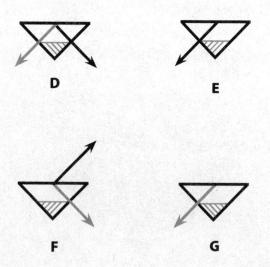

D　　　　　　　　　　　E

F　　　　　　　　　　　G

参见第 241 页答案 86。

赌马者乔

　　赌马者乔由于严重的心脏疾病被送进医院。医院收治他的时候,照看他的护士在他的口袋里发现几张投注单,她认为在他康复之前这些东西应该离他远些,因为这种额外的压力会影响他的身体恢复。乔动完手术彻底休息了两星期后,护士给了他一份日报,还有他的投注单和皮夹。他看着第一张投注单和报纸,发现他下注的那匹马跑赢了,赔率是50比1,他共投了50英镑。他出院后立即打电话去申领2500英镑。但是却被拒绝了,你知道为什么吗?

提 示

1. 投注单没有时间限制。
2. 投注是有效的,他支付了50英镑。
3. 庄家并没有逃跑或倒闭。
4. 他没有欠庄家2500英镑或更多的钱。
5. 他填写下注单的时候没有出错。
6. 那匹马获胜了,并且没有被取消资格。

参见第239页答案55。

谜 题 23

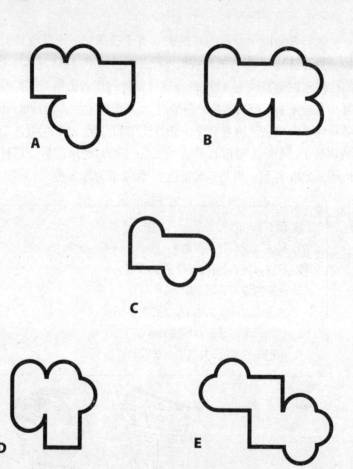

按一定规律构成图形,你能找出以上图形中哪一个没有按此规律构成吗?

参见第247页答案185。

点不着火的探险者

尼尔和戴夫正在新地区探险。他们觉得有些冷,于是他们决定用随身携带的报纸、干木柴生火。火柴此前一直没有使用过,是干燥的,但是却不能点燃;打火机看起来完全正常,但是同样没用,他们甚至想钻木取火、使用放大镜聚集太阳光取火的办法。

但是没有一样成功。为什么?

提 示

1. 他们在地面上,户外。

2. 没有气流或风。

3. 天气并不潮湿。

4. 报纸没有湿掉。

5. 所有的点火工具都完好。

参见第242页答案98。

35

谜题 24

你能根据书上的密码推理
出这本书著名的作者吗?

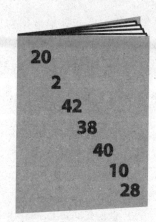

参见第244页答案131。

谜题 25

这些赛车正驰骋在著名赛道上。你能计算出Indianapolis赛道
的赛车号码吗?

参见第241页答案85。

36

选举出的国王

从前,有位国王过世了,王后取代他登上王位,成为国家元首。他们有两个孩子,是双胞胎。两个孩子都是剖腹产取出的,因此出生时间完全相同,不分先后。

现在必须选出一位国王。两个孩子其中一个非常聪明,为大家所喜欢,而另外一个则不那么聪明,而且一点也不讨人喜欢,王后和议会也不支持他。但是最后当选的却是后者。你知道为什么吗?

提示

1. 不涉及任何受贿动机。
2. 选举国王的过程遵守宪法。
3. 聪明的那个孩子没有死亡、受到伤害或被关押。
4. 王后也认同这个决定。
5. 没有外国势力卷入。
6. 婚姻关系并不是做出这个决定的原因。

参见第241页答案76。

谜题 26

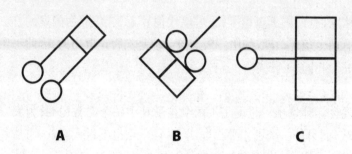

A B C

A与B的关系如图所示,则C应与以下哪个图形相匹配?

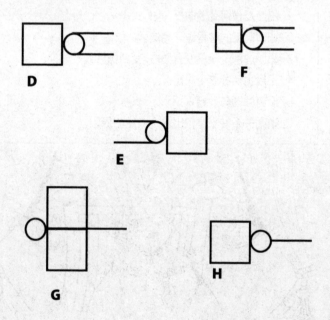

D

F

E

G

H

参见第246页答案154。

空气污染问题

　　一家化工厂发生重大火灾,火势很凶猛,消防员整整花了12个小时才把火势控制住。由于毒烟毒性很强,人吸入后只需几分钟即会死亡,警方不得不疏散方圆1英里内所有的居民。刚开始风将毒烟从西往东吹,一直持续吹了3小时20分钟。但是警方却开始撤离工厂西面的住户,因为这似乎更合乎情理。这次撤离挽救了成千上万人的生命,但是后来风从东往西吹。那些还来不及撤离的人或死亡,或患上严重疾病。风一直往这个方向吹,直到火完全被扑灭。只有住在工厂西面的居民死了。为什么?

提示

1. 没有下雨。

2. 整个过程中一直都在释放致命的毒烟。

3. 毒烟比空气重,没有越过东面一英里的危险圈。

4. 住在东面的人都没有呼吸面具,也没有人撤离。

5. 关闭门窗不能完全保护自己。

参见第243页答案101。

谜题 27

碎肉茄子蛋	多味菜饭
A	**B**
提拉米苏	卤汁面条
C	**D**
炒面	酒煨鸡
E	**F**

以上哪道菜与众不同？

参见第237页答案35。

新年快乐，再来一次

现在是8月，一位26岁的女士说她人生中从未错过任何一次新年庆典。她还声称看到过51次新年。假设她出生在6月份，在何种情况下，她讲述的才可能是事实？

提示

1. 她只将1月1日计为新年，不包括其他宗教或者文化意义上的新年。
2. 她没有将表往回拨进行欺骗。
3. 她人生中度过的26年一直使用现代日历，她生活在现代，在地球这个星球上。

参见第237页答案44。

谜题 28

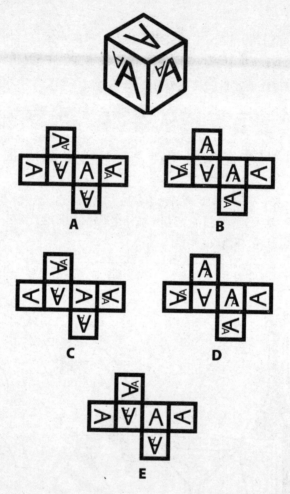

以上哪个平面展开图可以折出上方的立方体？

参见第247页答案181。

迎面相撞的蚂蚁

一根钢棒表面画了一根线,从棒的一端延伸到另一端。线的中间被弯曲,如此线的一半在钢棒的一边,一半在对面的一边。这根线的宽度仅仅是蚂蚁身体宽度的四分之一。这些蚂蚁很聪明,它们被告知必须走在线上,不然就无法存活。两只蚂蚁被放置在棒的两端,它们只有到达棒的另一端才能安全地得到食物。如果它们碰到一起,大家都会死掉。这些蚂蚁该如何解决问题,达成目标?

提 示

1. 棒是实心的,中间不能挖空。

2. 如果两只蚂蚁同时都在线上的话,它们不可避免地会彼此碰到。它们不能越过对方。

3. 两只蚂蚁最后都得到了食物,没有死。

4. 棒没有悬挂或发生旋转。

参见第235页答案8。

谜题 29

你能找出右侧正方形背后的逻辑关系,完成缺失的部分吗?

参见第242页答案92。

谜题 30

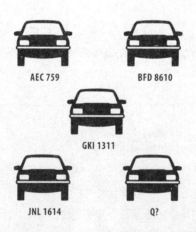

上面所有车的牌照遵循一定的逻辑关系。你能推理出最后一辆车的牌照号吗?

参见第241页答案84。

沉没的机器人

太空航行地面指挥中心非常详尽地将每个细节都计算在内。此前在ZOD星球进行的实验表明移动机器人能够在ZOD星球表面行走。但是航天飞机飞行途中偏离了航线,被迫在一个大小与ZOD相仿的星球着陆。在紧急着陆之前,两个机器人被弹出来,在降落到星球表面的过程中未遭损坏。然而它们着陆后却沉到该星球地表以下,无法移动。这是为什么?

提 示

1. 两个星球的土壤构成完全相同,地表的土壤密度也都相同。

2. 它们没有着陆在湿地或是水中。

3. 它们不是由于着陆时的冲击速度而下沉的。

4. 如果它们被弹射在ZOD星球,就不会沉没。

参见第236页答案16。

谜题 31

你能推理出以上方阵背后的规律，并完成缺失的部分吗？

参见第247页答案182。

圣约瑟夫教堂

丹尼尔一家非常虔诚,星期天一直去教堂做礼拜。丹尼尔的父亲由于升职的关系需要搬家,星期六他们一家搬到另外一座城市。搬家过程非常麻烦,花费了一整天的时间,星期天早上,除了丹尼尔,他们一家人都睡过头了。丹尼尔虽然觉得很累,但是仍然决定要去当地的教堂感谢上帝保佑他们一家顺利地搬家,然后稍晚些时候他会带领其他家庭成员一起去教堂。教堂外面的标识写着圣约瑟夫天主教堂。他进入后发现里面正在进行礼拜仪式,但是他连一个字都没有听懂。为什么?

提 示

1. 与口音无关。

2. 他们没有搬到美国以外的国家。

3. 丹尼尔只有10岁。

4. 教堂使用的语言是英文,并非拉丁文。

5. 他的耳朵没有问题,他可以听见每句话。

6. 他们前往的城市是华盛顿。

参见第241页答案88。

谜题 32

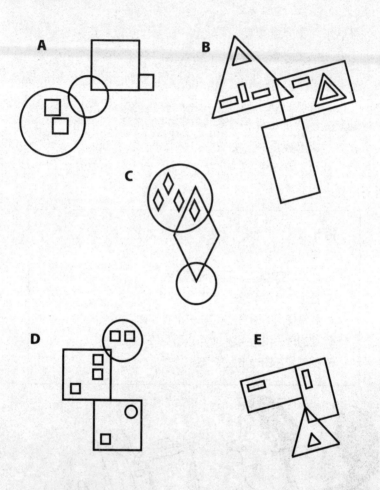

以上哪个图形与众不同？

参见第246页答案153。

被拒绝的新兵

　　布莱特·山姆非常渴望进入陆军部队从事电子行业。他是班上最聪明的学生之一,尤其擅长电子理论。当他没能进入期望的专业后,他万分沮丧。他知道自己的资历是最好的,但是军队却没有要他。后来他收到军队发给他的一封信,提供他另外一份工作,这份工作将会用到他的特殊天赋,并且可以挽救同事生命。你能根据下面的提示推断出他获得的是什么工作吗?

提示

1. 他不能从事电子或信号相关工程,因为他是色盲。
2. 他的身体完全健康,很聪明。
3. 除了看颜色有问题,他的视力很好。
4. 他很年轻,适合战斗。

参见第235页答案5。

谜题 33

你能根据书上的密码推理
出书的作者吗？

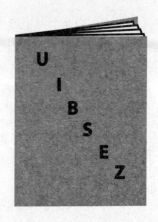

参见第 244 页答案 123。

谜题 34

D V H Y J Z

O Q S I B

W F X C M K

再来一个字谜游戏，以上罗列的字母都是不需要用到的。
找出缺失的字母，调整顺序，你会发现一个巨人的名字。有一个
字母会用到两次。

参见第 246 页答案 171。

伟大的足球运动员要退役了

一位伟大的运动员已经为国家队和俱乐部服役多年,为了表达对他的尊敬,他所在的俱乐部和国家队双方为他举办一场告别纪念赛。这是他退役之前的最后一场比赛。比赛最终比分为3:2,他进了4球,结束的时候他在输球的一方。你知道发生了什么吗?

提示

1. 他所有的进球都发生在体育场一边。

2. 制胜球是一个乌龙球,不是他所进的。

3. 半场休息时,他掉转方向,与上半场进攻方向相反。

参见第240页答案70。

谜题 35

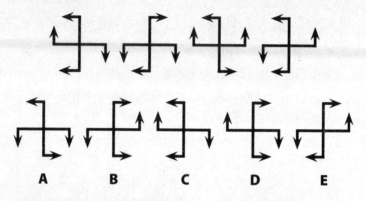

根据上面序列的规则,你能推断出下一个应该是5个选项中的哪一个?

参见第243页答案104。

谜题 36

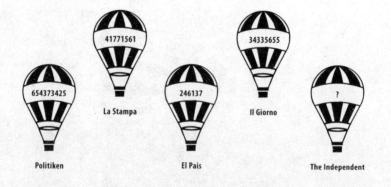

每个气球由一家著名的报纸赞助。气球上的数字与报纸的名字有某种联系。The Independent 气球应该是什么号码?

参见第241页答案78。

戴德伍德驿站马车

在西部荒原时期,一位勘探者计划搭乘早上的驿站马车返回东部。他发了财,想要大肆庆祝一番。当天晚上他喝了很多威士忌,不止一次醉倒。早上他准时出现在候车室,但是马车却没有将他带回东部。为什么会这样?

提 示

1. 他有旅行所需的有效车票和钱。

2. 其他人也都想回东部,却没人阻止他们。

3. 马车上有足够的空间容纳他。

4. 这次旅行并不危险。

5. 马车的司机和马都准时离开了。

参见第237页答案34。

谜题 37

你能根据右侧正方形背后的逻辑关系,推算出缺失的数字吗?

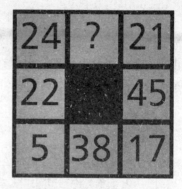

参见第241页答案80。

谜题 38

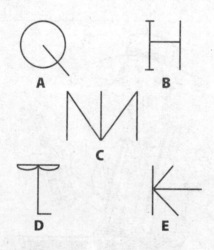

以上哪个符号与众不同?

参见第246页答案155。

赛道上的困惑

在赛道发车阵列的第二排，7号车驾驶员是3号车驾驶员的儿子。他们在赛车道上的速度被测定为并列第三。3号车驾驶员不是7号车驾驶员的父亲。这可能吗？

参见第235页答案1。

谜题 39

请用恰当的数字代替右图中的问号。

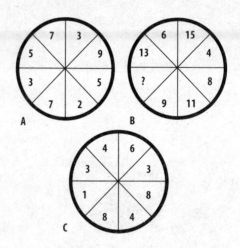

参见第243页答案111。

谜题 40

Q H D U X

G W L M C O

P Z J V B Y

来一个字谜游戏,所给出的字母都是不需要用到的字母。你只要找到缺失的字母,调整顺序,就会发现一部哥特式小说的男主人公名字。字母N不止一次用到,另外一个字母会用到两次。

参见第247页答案172。

不会孵蛋的鸟

　　有个人走进一家宠物店,要求买一对虎皮鹦鹉。店主卖给他一对鸟,这对鸟在店主的笼子里形影不离。6个月后,这个人再次来到这家店,抱怨说这对鸟不下蛋。店主为了让他的顾客高兴,就给了他一只刚下过蛋并且孵化过小鸟的虎皮鹦鹉。又过了6个月,这个人又回到店里,依然是令人失望的结果。为什么母鸟没能生出受精蛋?

提 示

1. 这些鸟都没有问题。

2. 鸟的饮食正常。

3. 这些鸟正处于适宜繁殖的年龄。

4. 鸟所在的房子很安静。

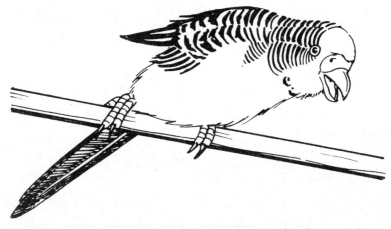

参见第236页答案26。

谜 题 41 ....

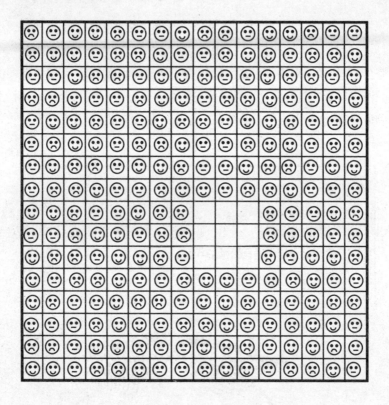

上面的方阵根据一定的规律构成。你能
找出这个规律并完成缺失的部分吗?

参见第237页答案42。

58

打碎的花瓶

　　某人的祖父去世了,给他留下的遗产中有一只花瓶。这个人继承了遗产后,立即打碎了花瓶。奇怪的是他比以前更富有了。为什么?

参见第239页答案54。

59

谜题 42

M   **NN**   **B**

A   B   C

A与B的关系如图所示,则C应与以下哪个图形相匹配?

DC   **CC**   **B**   **A**   **BB**

D   E   F   G   H

参见第247页答案180。

谜题 43

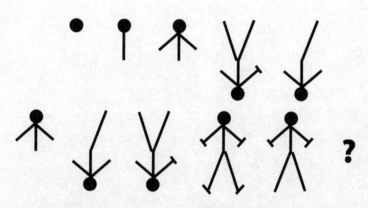

根据上面序列的规则,下一个火柴人应该是什么样子?

参见第239页答案53。

漏水的管子

一根管子底部出现裂缝,每小时泄漏5加仑水, 4小时后管子空了。没人发现裂缝,管子重新注满后立即出现大小一模一样的第二条裂缝。现在管子以每小时10加仑的速度漏水,但是这次用了3小时才漏完。你知道为什么吗?

参见第242页答案92。

谜题 44

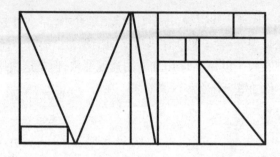

仔细观看上图,你总共能找出多少个长方形?

参见第239页答案56。

谜题 45

你能计算出每张花色所代表的值吗?

参见第237页答案45。

公共汽车司机

两个公共汽车司机正在员工餐厅聊天。其中一位离开餐厅去接在外等候的一个小男孩。第三个司机进入餐厅询问与小男孩在一起的那个司机小男孩是谁。"他是我儿子,"后者回答。第三个司机坐下后,听到餐厅里另外一位司机也说那个男孩是他儿子。这怎么可能? 男孩没有继父母,两个司机说的都是事实。

没有提示: 这道题非常简单。

参见第241页答案75。

谜 题 46

你能将图画背面的密码
解码,找出画家的名字吗?

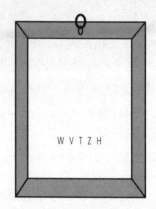

W V T Z H

参见第243页答案102。

谜 题 47

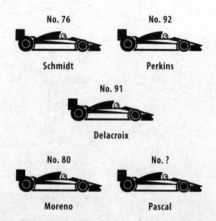

No. 76
Schmidt

No. 92
Perkins

No. 91
Delacroix

No. 80
Moreno

No. ?
Pascal

每辆车的号码都与驾驶员的名字有关。你能预测Pascal会开几号
车?

参见第241页答案79。

花 束

　　花店员工正用玫瑰、康乃馨和菊花扎花束。只有康乃馨的花束是只有菊花花束的两倍。而只有玫瑰的花束比只有康乃馨的花束多一束。包含三种花的花束比包含玫瑰和康乃馨两种花的花束多一束。只有玫瑰的花束和康乃馨、菊花的混合花束数量一样多。玫瑰和菊花的混合花束比只有菊花的花束多一束。两束花只有菊花，18束花中没有菊花。

提示

1. 只有玫瑰的花束有多少束？

2. 包含三种花之中两种的花束共有多少？

3. 只有康乃馨的花束有多少束？

4. 包含三种花的混合花束总共有多少？

5. 花店总共扎了多少束花？

参见第243页答案108。

65

谜题 48

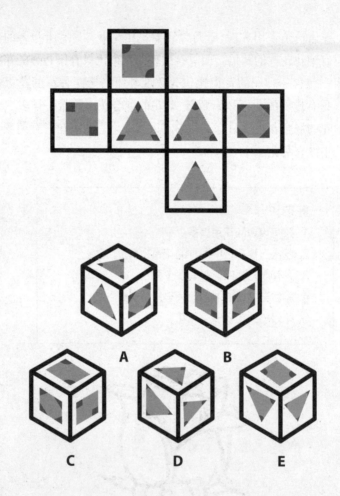

以上哪个立方体不是由上面的平面展开图折成?

参见第 246 页答案 165。

乱收费的牛

　　四个漫步者沿着一条乡间小路散步,翻过山丘之后来到一片牧场。牧场上都是牛。在这四个人即将成功到达牧场另一端之前,有牛向他们收费。这四个人没有受到任何伤害,为什么还要提出正式投诉呢?

提示

1. 他们没有跑向安全地带。

2. 他们并不害怕。

3. 牛群根本没有注意到散步者。

4. 牛以前也曾向其他人收费,但时间不长。

5. 收费的牛相当健壮、已经完全长大。

参见第238页答案48。

谜题 49

RDPNHVEE
FLBFILOAU
TNHODOAUS
ELTSBNOO
PSTAEELTH
IMAMAII

以上每行调整顺序后即可拼出一个美国城镇的名字。但是每个单词都多出来2个字母。找出所有多余的字母,可以拼出另一个地名。

参见第236页答案18。

谜题 50

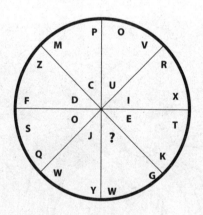

请用合适的字母代替图中的问号。

参见第247页答案183。

球 迷

一个小男孩准备前往现场观看一场重要的足球赛,他想将自己的脸涂成绿色,因为这是他所支持球队的颜色。他的球队赢得了比赛,赛后他和朋友们庆祝了好几个小时。回到家后,他郁闷地发现自己的脸居然是蓝色,而不是绿色的。为什么?

提 示

1. 他没有重新涂过颜色。

2. 颜料不受紫外线灯光的影响。

3. 使用的颜料干了以后不会变成蓝色。

4. 颜料刷是干净的,上面没有化学品附着。

5. 颜色的变化不是因为热敏感或光敏感类添加剂的缘故。

参见第 243 页答案 106。

69

谜 题 51 ......

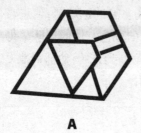

A

B

C

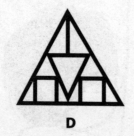

D

E

以上哪个图形与众不同?

参见第246页答案169。

大比尔

有一天夜里,大比尔实在太累了,便关了灯,上床睡觉了。第二天早上他醒来后,听到广播里报道当天凌晨发生的一件可怕的灾难,超过100人丧生,而这都是他的错。为什么? 他并没有醒来或梦游。

提 示

1. 外面的天气很恶劣,能见度低。
2. 比尔前个晚上或一个白天没有睡觉,所以才会觉得累。
3. 他的闹钟坏了,不响了。
4. 如果前一个晚上他做了相同的事情,可能死亡的人数会更多。

参见第236页答案17。

谜 题 52

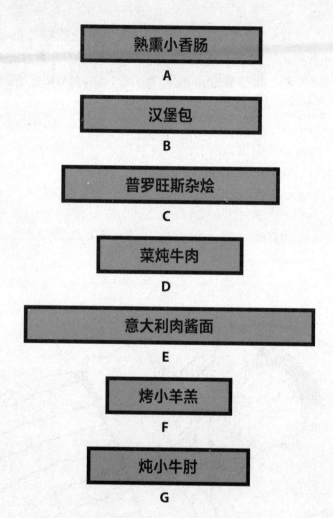

熟熏小香肠

A

汉堡包

B

普罗旺斯杂烩

C

菜炖牛肉

D

意大利肉酱面

E

烤小羊羔

F

炖小牛肘

G

以上哪道菜与众不同？

参见第236页答案21。

森林大火

　　澳大利亚发生了森林大火。消防员成功扑灭大火后,展开搜寻尸体工作。搜索了两天后,他们发现一具戴着整套潜水装备的尸体。虽然这个人死了,但他身上一点也没有被烧到的痕迹。森林离水源有20英里的距离。这个人如何会在那里呢?

提示

1. 这个人没有走到被发现之地。

2. 这个人不是被谋杀的。他的死亡是一个意外。

3. 他的湿外套没有被烧着或熔化。

4. 这个人有几根骨头断了。

参见第241页答案83。

谜题 53

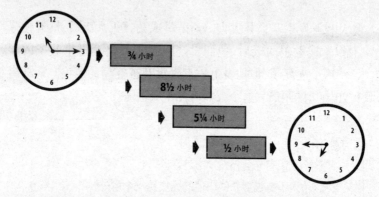

使用如题所示的时间,每一步应该是向前还是后退,才能从上方的钟所标示的时间得到下方的钟所标示的时间?

参见第247页答案187。

谜题 54

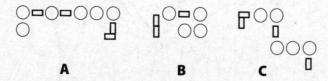

A与B的关系如图所示,则C应与以下哪个图形相匹配?

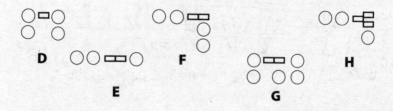

参见第247页答案186。

阿拉伯王子的车

　　阿拉伯王子买了一辆顶级车,配备白色的皮座椅、先进高保真音响、电视、以及所有能想到的附件。他对自己能拥有这辆车感到很骄傲、欢欣。他拿到车后,发现车里有一股"新车"的味道,便将空气清新剂的吸盘吸在前挡风玻璃上,空气清新剂悬挂在绳子下端摆动。仅仅一个小时后,空气清新剂散发的香味让车内洋溢着一种好闻的味道,王子很高兴。他决定开车前往他父亲在沙漠中的宫殿,向他展示自己的得意之作。他将一份报纸留在仪表盘上,后座上放着给父亲的礼物。他找了个士兵看车。他父亲外出了,2小时后回来发现儿子在宫殿里等他。王子赶紧拉着他父亲跑向院子,结果发现他的车着火了,士兵正在往车上泼水。是什么原因造成了这场火?

提示

1. 火势从车内的乘客座位开始。

2. 不存在电路或燃料问题。

3. 礼物中不含任何易燃物质。

4. 与打火机和火柴无关。

5. 起火原因不是自燃。

6. 与空气清新剂中的化学物质无关。

7. 士兵与起火原因无关。

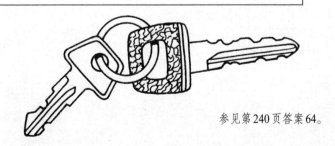

参见第240页答案64。

谜题 55

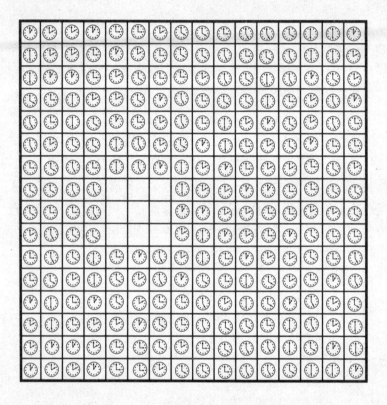

你能找出上面方阵的规律，并完成缺失的部分吗?

参见第246页答案164。

移动的行李箱

一家人在佛罗里达度假,在返回他们租住公寓的路上,他们发现他们的空行李箱被扔在离公寓约两英里的路边。他们停下车,检查箱子,箱子上还贴着他们的名字标签。他们的箱子为什么会被放在路边?

提示

1. 他们付了房租,还提前付了一周的租金。

2. 当天他们并不在。

3. 他们没有被人入屋盗窃。

4. 房东没有移动行李箱。

5. 当天离开前他们将行李箱留在公寓内。

参见第237页答案37。

谜 题 56

按顺序从每片云中选择一个字母。你会得到五位作曲家的名字。

参见第237页答案41。

谜 题 57

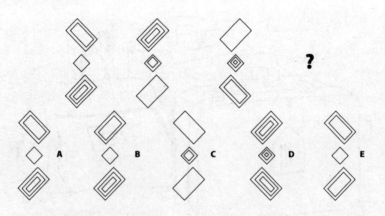

根据上面序列的规则,下一个应该是哪个选项?

参见第247页答案175。

业余的保险箱窃贼

　　两个牛仔——轻手指哈利和绝望的戴夫,决定要炸开镇银行的保险箱,里面有成千上万现金。他们此前从来没有炸过保险箱,但是他们知道上哪儿搞到足够的火药。在酒馆里喝酒的时候,他们询问一个喝醉的淘金者需要多少火药。他告诉他们大概要2磅,但是绝望的戴夫坚持使用两倍的量以保证万无一失。他们进入银行,倒出火药,点燃导火线。保险箱并没有炸开,也没有任何声音。为什么?

提示

1. 所有火药都用上了,而且点燃了。火药是干燥的,他们使用了全部的4磅。

2. 他们没有尝试将房间隔音,而且这间房此前也不隔音。附近就有人。

3. 火药放在保险箱上面和四周,距离足够近。

参见第237页答案41。

谜题 58

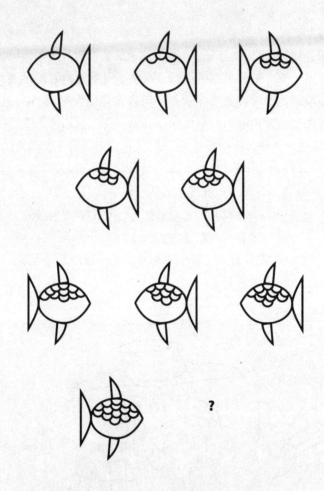

?

根据上面序列的规则，下一条鱼应该长什么样？

参见第238页答案52。

不能拧动的螺丝

有个人决定修理妻子的吸尘器（令她很担心，因为过去他从来没有表现出任何电器或机械方面的天赋）。首先要做的是用螺丝刀拧开螺丝。他确认使用的螺丝刀大小、头型完全符合螺丝头。然后他将螺丝刀和螺丝啮合，使尽力气，按逆时针方向旋转把手。螺丝却没有出来，也没有松动。为什么？

提示

1. 这个丈夫使用的力气足够拧动螺丝。
2. 逆时针旋转螺丝是拧开螺丝正确的方向。
3. 螺丝和螺丝刀之间一直保持良好的接触。螺丝刀没有从螺丝头上滑落。
4. 洞里的螺纹没有消失，螺丝没有损坏或变形。
5. 他妻子使用同一个螺丝刀可以拧下螺丝，不用润滑剂。

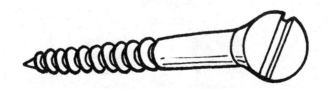

参见第 236 页答案 27。

谜题 59

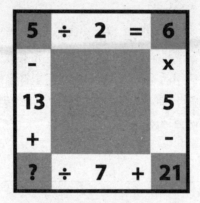

请用恰当的数字代替等式中的问号。

参见第245页答案144。

谜题 60

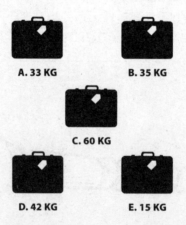

每个行李箱的重量如图所示。哪个与众不同？

参见第240页答案67。

茶 会

一位母亲将女儿叫进家里玩耍。小女孩穿过前门进到屋里,同娃娃和泰迪熊玩开茶会游戏。半小时后,她感到厌倦了,她想回到前花园里玩球。这次要到前花园,她必须穿过两道前门。为什么?

提示

1. 房子的前廊没有门。

2. 一扇前门正对着房子的后墙。

参见第239页答案56。

谜题 61

根据上面序列的规则,下一个符号应该是怎样的?

参见第 246 页答案 160。

两兄弟

　　1914年,英格兰的一个贵族家庭有两兄弟。战争爆发时,哥哥毫不迟疑地自告奋勇参军。经过基本训练,他被送上了前线。经过12个多月的时间,他成为一名军官,他领导的小队不同凡响。他休假回家的时候,发现他的兄弟玩得很愉快。他的家族几代都为国家做出巨大的贡献,获得很多荣誉,但是他的兄弟却让家族蒙羞。军官返回前线,受了伤;住院的时候,他寄了封信给他兄弟,他兄弟收到信之后,即参军当了步兵,并且赢得了很多杰出英勇奖章。那封信中没有任何字。但是他却明白信里所装东西的含义。信里到底装的是什么?

提示
1. 信封上的字体不是他兄弟的。
2. 信封上的邮戳无法辨识。
3. 他的兄弟没有跟他谈话,改变他的想法。
4. 信封内装着的东西重量不超过信封本身。
5. 信封上没有留言。

参见第242页答案95。

85

谜 题 62

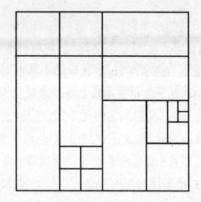

上图总共有多少个正方形？

参见第242页答案97。

谜 题 63

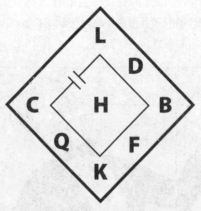

你能找出上图中缺失的四则运算符号（+，-，x，÷）吗？

参见第245页答案136。

液体池

一个人工作时,掉落到一个满满的液体池。他出来的时候,身上是干的,但是却立即被送进医院。你知道为什么他身上是干的,为什么他要被送往医院吗?

提 示

1. 池子中的液体温度与室温一样。

2. 有"请勿靠近"的警示牌。

3. 他掉落到池子里是一个意外。

4. 他轻轻地掉下去,没有造成脑震荡或严重的挫伤。

5. 池中的液体深4英尺,他掉进去的时候液体几乎没有溅出来。

6. 他没有穿任何防护服。

7. 他没有吞下任何液体。

8. 他被要求将衣服烧了。

参见第241页答案77。

谜题 64

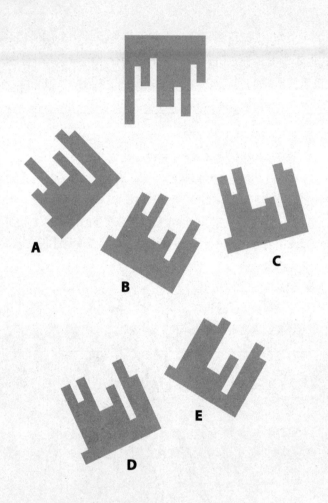

A

B

C

D

E

哪个选项可以与上方的图形契合？

参见第243页答案116。

过度拥挤的停车场

某公司停车场所有10个停车位都分配给公司的经理们。公司扩展业务后,有一个新的经理加入。他的合同中有条款规定公司提供一个车位,就像其他那些经理一样。如果不允许并行停车,那怎样才能将所有的车停进停车场?

提 示

1. 车不能阻碍任何行车通道。
2. 车辆之间的间距保持不变。
3. 多出来的车停靠的位置不能远离办公室前面的墙壁,其他所有经理仍然保留他们的停车位。
4. 所有的车需要在同样的时间段停泊。

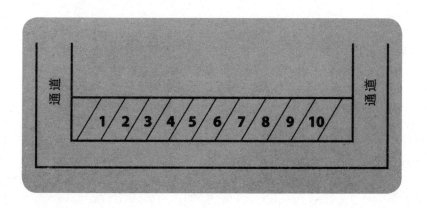

参见第243页答案109。

89

谜 题 65 ··

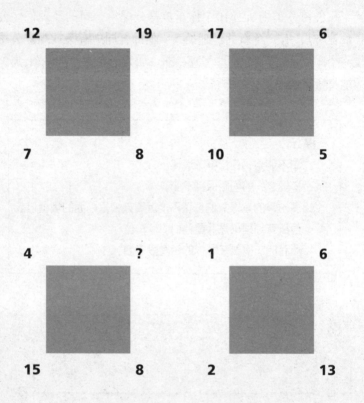

你能找出这些正方形背后的规律，用恰当的数字代替问号？

参见第244页答案120。

送货员的等待

送货员打电话给客户,告诉对方他带来的一箱货物重达一吨,他们需要起重设备卸货。他离送货点不到1英里,但是却花了6个小时。他从收货点出发的20英里路只用了一个多小时。根据以下提示,为什么他到送货点会花费那么长时间?

提 示

1. 他没有绕路,从他现在的所在地到送货点之间没有车辆。

2. 他不是因为其他会议或人而被耽搁。

3. 延误并非由于卸载或装载其他物品。

4. 如果是 $5\frac{3}{4}$ 小时后,同样的路程他只需15分钟。

5. 该地区的马路没有交通堵塞或修路。

6. 原因并非因为任何人所做的任何事。

参见第236页答案23。

谜题 66

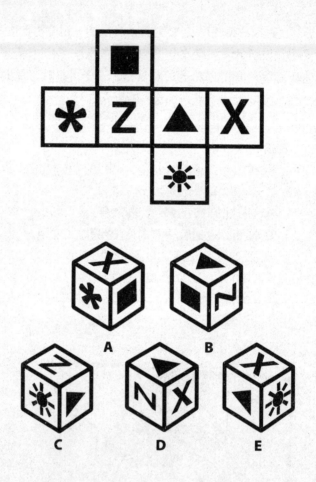

以上哪个立方体不是由上面的平面展开图折成的?

参见第 246 页答案 163。

跳跃到安全地带

某人睡在三层楼房子的顶楼,他醒过来发现烟从卧室门底下钻进来。他随即收拾所有可以拿走的贵重物品,从卧室窗户跳出。尽管他的手臂拿满了东西,他没有掉落或打破任何东西,自己也没有受伤。为什么?

提 示

1. 部分物品易碎,如果掉落到地上会打碎。

2. 他没有跳到房子的壁架上。

3. 没有使用梯子、绳子、或安全网。

4. 他没有跳到水里或柔软的雪地上。

参见第238页答案50。

谜 题 67

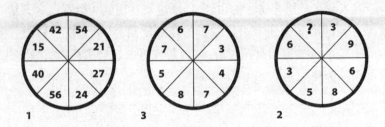

请找出恰当的数字代替上图中的问号?

参见第244页答案121。

谜 题 68

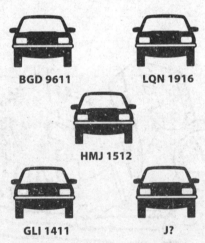

BGD 9611　　　**LQN 1916**

HMJ 1512

GLI 1411　　　**J?**

上述车辆的车牌号有一定的逻辑关系。最后一辆车的车牌号是什么?

参见第241页答案77。

上　课

　　詹姆斯每天早上带着书本长途跋涉去学校,但是他几乎从来不做回家作业,他考试的分数也不高。班上有36个孩子,其中35个都是好学生。为什么詹姆斯从来没有遇到过麻烦?

提 示

1. 詹姆斯一直很懂礼貌。

2. 詹姆斯好几次被叫到校长办公室。

3. 詹姆斯与学校里任何人都没有关系,他也不是特殊学生。

参见第236页答案20。

谜题 69

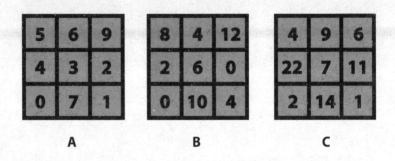

A 与 B 的关系如图所示，则 C 应与以下哪个图形相匹配？

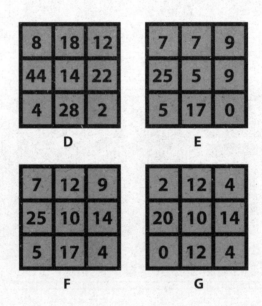

参见第 241 页答案 88。

水果疑案

一妇女在窗台上放置了一些人造水果。苹果一边呈玫瑰红色，另一边呈翠绿色，顶端有一根小小的苹果梗，是白色的。桃子的颜色是可爱柔嫩的粉橘色，桃子梗更大些，也是白色的。另外还有一只梨和一只深紫红色的李子。这个人将水果留在窗台后就离开了房间。过了半小时，她回来后，压根儿就见不到水果了。为什么？

房间内没有人。没有人移动过水果。也没有东西阻碍她的视线；房间一目了然，没有雾。

提 示

1. 没有被人偷走。

2. 没有被吃掉。

3. 房间里留下了有用的线索。

4. 她回来后房间里有一股不寻常的味道。

5. 水果的消失与动物和昆虫没有任何关系。

参见第241页答案85。

97

谜题 70

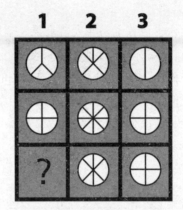

你能找出以上正方形背后的逻辑关系,用正确的图形代替问号吗?

参见第237页答案36。

谜题 71

A   E

F   H

I   K

L   ?

根据上面序列的规则,下一个应该是哪个字母?

参见第240页答案64。

消失的食物

在一家糖果店,有人请客小男孩,他可以随意挑选自己喜欢的糖果。他高高兴兴地从商店出来,手里抓着满满一袋。他在袋子顶部挖了个洞,就开始吃了。他只吃了其中一小部分,半小时后,袋子已经空空如也。袋子和食物都没有掉落。他没有送给其他人,或者扔掉,也没有将袋子里的东西转移到其他地方。那袋子里的东西究竟到哪儿去了?

提示

1. 袋子里的东西只吃了约5%。

2. 袋子上的洞不会让里面的东西掉出来。

3. 东西没有被昆虫或其他任何动物吃掉。

参见第237页答案39。

谜题 72

按先后顺序从每个灯泡中挑出一个字母。你会发现5个与食物有关、而且是由5个字母组成的单词。

参见第237页答案40。

谜题 73

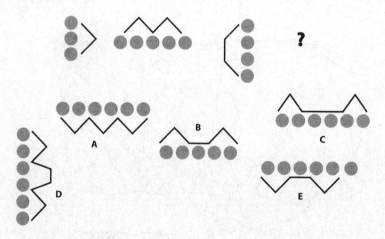

根据上面序列的规则,下一个应该是哪个图形?

参见第246页答案161。

邋遢的吃客

　　亚瑟的同事对他都很恼火,他每天午餐时都把水果带到办公室吃。剥了香蕉皮就随意丢弃在原地,苹果核扔得地板上到处都是,葡萄籽吐到其他人的办公桌上,橘子汁总是会喷到别人眼睛里。亚瑟现在仍然将水果带到公司,但是他的同事们却不再抱怨他了。他依然吃水果,他并没有对同事们做些或者说些什么,他的同事们也没有什么改变。为什么现在没人抱怨他了?

提示

1. 他没有跟动物一起工作,办公室环境通常都很干净。
2. 他不再用手指去抓水果了。

参见第240页答案63。

谜题 74

上图已经给出每个气球的速度、号码和飞行的距离。你能计算出 A 飞行的距离吗？

参见第 240 页答案 69。

谜题 75

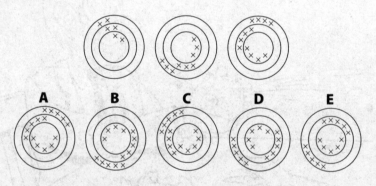

根据上面序列的规则，下一个应该是哪个图形？

参见第 243 页答案 105。

窗帘店

在一家窗帘店,标识为"印花设计"的区域内悬挂的是印有花卉图案的面料。各种颜色的无花色窗帘悬挂在 "无纹布"区。但是为何有一条窗帘是竖条纹的,却没有放在"条纹面料"区?

提 示

1. 店里存在"条纹面料"区。

2. 面料上的是竖直条纹。

3. 面料没有被错放在其他区域。

4. 顾客知道上哪里购买他们需要的窗帘。

参见第237页答案35。

谜题 76

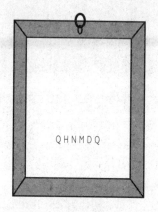

QHNMDQ

你能根据给出的密码推理出这幅画的画家吗？

谜题 77

请用恰当的数字代替右图中的问号。

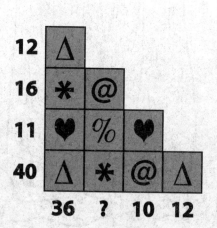

104

登山者

一个四口之家假期去登山。第二天早上他们都被发现死在房间中。验尸官宣布他们都是溺水死亡。房间内的水龙头没有忘关,水壶和储水器都没有损坏。没有谋杀迹象。到底是什么原因导致他们溺水呢?

提示

1. 他们距最近的湖有好几英里。

2. 已经有5天没有降雨。没有发生洪暴灾害。

3. 不是由于水坝问题导致的。

参见第243页答案116。

105

谜题 78

2	2	3	1	1	7	1	4	5	5	2	2	3	1	1	7
5	3	1	1	7	1	4	5	5	2	2	3	1	1	7	1
5	2	3	1	1	7	1	4	5	5	2	2	3	1	1	4
4	2	2	2	3	1	1	7	1	4	5	5	2	7	5	
1	5	2	5	1	4	5	5	2	2	3	1	1	2	1	5
7	5	5	5	7	2	2	3	1	1	7	1	7	3	4	2
1	4	5	4	1	5	3	1	1	7	1	4	1	1	5	2
1	1	4	1	1	5	2	3	1	1	4	5	4	1	5	3
3	7	1	7	3	4	2	2	2	7	5	5	5	7	2	1
2	1	7	1	2	1	5	5	4	1	5	2	5	1	2	1
2	1	1	2	7	1	1	3	2	2	2	2	4	3	7	
5	3	1	3	5	5	4	1	7	1	1	3	2	5	1	1
5	2	3	2	2	5	5	4	1	7	1	1	3	5	1	4
		2	5	5	4	1	7	1	1	3	2	2	7	5	
		4	1	7	1	1	3	2	2	5	5	4	1	5	
		3	2	2	5	5	4	1	7	1	1	3	2	2	

你能推理出以上方阵背后的规律,并完成缺失的部分吗?

参见第245页答案135。

洗 碗

　　一对夫妇生活在利兹,他们有6个孩子,每天晚上分别由不同的孩子洗碗。星期天则由孩子们抽签来决定谁会得到这个令人沮丧的特权。其中一个孩子认为最好的选择是不参加抽签,就挑剩下的那个。按她的计算,第一个挑的人中签的可能性为1:5,下一个1:4,再下一个1:3,直到最后一支签剩下给她。综合上面所有的因素,这个孩子推断最后一支签不大可能会是最差的。她的计谋会得逞吗?

参见第236页答案29。

谜题 79

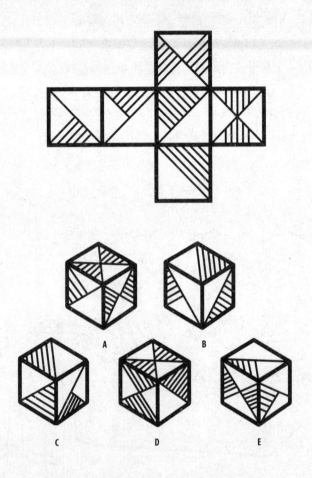

以上哪个立方体是由上面的平面展开图折成？

参见第244页答案128。

20世纪30年代

20世纪30年代早期的跨大西洋飞行中,一架飞机载着20位乘客从英格兰出发,接近纽约的时候燃油储备已很低。飞机到达的那天风很大,因此飞机无法按原计划降落。但是,飞机却可以在几英里之外的地方着陆,而且那里的风比原着陆点的风速稍高些。这可能吗?

提 示

1. 第二个着陆点的风向对飞机着陆来说更加不理想。与第一个着陆点相比,那里侧风更多。

2. 第一个着陆地区没有任何其他车辆,空中也没有其他飞行器。

3. 空管不认为飞机有任何问题,事实上飞机的确没有任何问题。

4. 飞机不是由于低燃料储备才改道的。

5. 驾驶员明白他必须将飞机转向的原因。

参见第239页答案57。

谜题 80

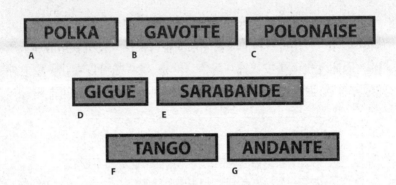

以上哪个音乐术语与众不同?

参见第 236 页答案 20。

谜题 81

按顺序从每片云中选择一个字母。你会得到 5 个全球共用的英语词汇。

参见第 238 页答案 50。

危险的邻居?

Price 一家被同住在 Peacefulton 的邻居们视为最不受欢迎的一家。他们家至少有一个成员经常恐吓其他邻居。邻居们很害怕,但是鉴于以往经历,他们害怕遭到报复,所以也不敢报警。一天,事态升级,Price 家某个人放火烧了邻居家的房子。警方询问了所有的邻居,但即使有人知道是谁干的,他们也不愿意说出来。有一个邻居交了张纸条给警方,直截了当地告知放火人的名字。如果他们一家的名字分别为:Tom Price 先生(父亲),Julie Price 太太(母亲),孩子们的名字分别为 James,David,Mark 和 Billy,请问被逮捕的是哪个人?

参见第 242 页答案 96。

谜题 82

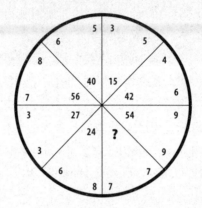

你能找出圆盘背后的规律,用恰当的数字代替问号吗?

参见第245页答案151。

谜题 83

　　Earl离开Dallas前往UK度假。他喜欢Cambridge,但不喜欢Oxford。他游览了Derby,而不是Nottingham。他前往StIves,而不是Polzeath。

　　他喜欢Swansea吗?

参见第246页答案159。

错过的火车

　　某人前往火车站搭乘12:47的火车。到达之后他才想起来自己没带手表。经过售票机的时候他看到一只钟。他以为自己早了1个半小时,所以离开了站台。过了一会儿,当他意识到自己的错误的时候,已经错过了那班火车。时钟显示的时间是正确的,为什么这个人之前会认为他早到了呢?

提示

1. 他没有问别人任何问题。

2. 他没有看到任何关于延误的信息。

3. 他要搭乘的火车准时到了,没有改期。

参见第240页答案74。

谜题 84

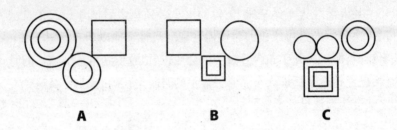

A 与 B 的关系如图所示，则 C 应与以下哪个图形相匹配？

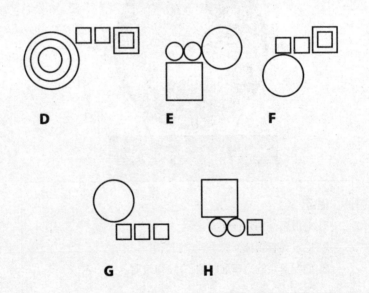

参见第 246 页答案 156。

不幸的锁匠

一家高级银行叫来锁匠更换一间房间的锁,这间房曾专门用来保存重要文件。首先必须先破坏门前两束低功率激光束,将门激活。锁上覆盖的钢板会自动卸下,然后物主就可以使用新的特制钥匙开锁。系统使用后会自动重置。就在即将完成全部清除工作之前,银行经理想要测试一下,他帮锁匠清理贮藏室里的工具后,被锁在贮藏室内。锁匠也无法将他解救出来。为什么?

提 示

1. 门是无意或故意关上的。

2. 警方和消防部门不得不出动解救银行经理。

3. 锁匠不得再次换锁。

4. 锁匠手里还拿着钥匙,但是却无法使用,虽然他在清除设置前曾经测试过。

5. 激光束之间只相距3英尺距离。

参见第243页答案105。

谜题 85

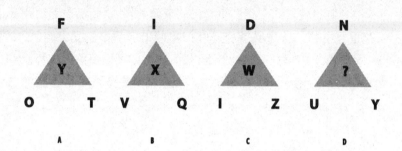

请用恰当的字母代替图中的问号？

参见第244页答案119。

谜题 86

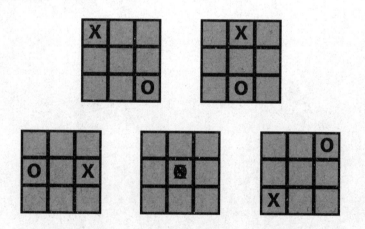

根据上面序列的规则，下一个正方形应该是怎样的？

参见第239页答案54。

玻璃头像

　　为了感谢总统对国家和世界和平所作出的贡献,人们依照他的样子,制作了重达2吨的巨型抛光玻璃头像,头像的底部是平的,保证头像在底座上不会移动。底座的顶部与玻璃头像颈部完美贴合。为了将头像摆放在底座上,需要使用配备特制填充绳的桥式起重机,然而问题出现了。上下两部分的位置必须严格吻合,工人们不能拉动绳子,以防磨损头像或底座。他们是如何做到的?

提示

1. 他们不能使用木楔或其他任何可能会刮花玻璃的东西。
2. 由于压缩机功率不够,不能使用压缩空气。
3. 绳子必须从头颈下面的4个位置穿过。
4. 绳子由尼龙制成,中间是不锈钢芯。直径为2英寸。
5. 他们不能使用吸盘或橡皮支架。

参见第243页答案115。

谜题 87

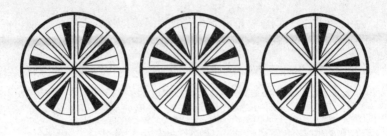

你能找出最后的圆盘中缺失的扇形应该是怎样的吗?

参见第239页答案57。

谜题 88

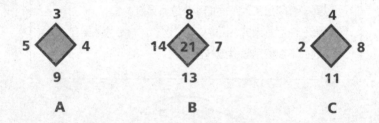

A与B的关系如图所示,则C应与以下哪个图形相匹配?

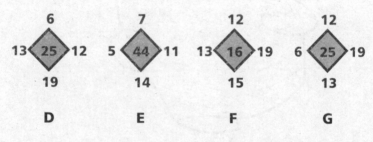

参见第242页答案94。

弱者生存?

三个人同时热烈地爱上了一个女人。这个女人同样爱他们三个。但是激情冲昏了他们的头脑,三个男人决定用手枪进行决斗。胜利者可以牵起爱人的手;失败者则要面对失意、受伤,甚至死亡。

同意决斗之后,成功机会对一人不利,对另外两人有利。Nevermiss伯爵是专家、神枪手,即使面对比此次更强大的对手,他都能获得胜利。Bullseye勋爵枪法很好,他是个军人,每三发子弹,两发都可以射中目标,而Missalot上尉每三枪只有一枪能击中目标。他们都是绅士,因此决定应该给技术最差的人一个机会。他们决定大家站出来面对面,形成三角形。弹药使用没有限制,他们将轮流向两个对手中的任意一个开枪,每一次都是枪法最差的人最先射击,枪法最好的人最后射击。

你现在站在Missalot上尉的位置。你如何能体面地将你的生存机会最大化? 你首先开枪。你会先选择谁? 生存的机会有赖于精妙的横向演绎推理。

参见第237页答案42。

谜题89

请找出恰当的字母完成右图。

参见第241页答案75。

谜题90

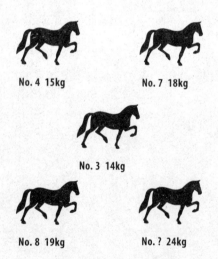

No. 4 15kg

No. 7 18kg

No. 3 14kg

No. 8 19kg

No. ? 24kg

每匹马的负重如图所示。你能计算出最后一匹马的号码吗?

参见第236页答案15。

摆渡者的难题

有个人将他的5个孩子留给摆渡者,并告知必须用最少次数摆渡将他们带到河对岸,每个孩子单向摆渡次数需相同。孩子们的年龄各不相同,摆渡者每次除了自己,最多只能带2个孩子。年龄相邻的两个孩子不能在没有摆渡者的情况下单独在一起。只有摆渡者会划船。总共需要多少次摆渡,顺序怎样?

参见第236页答案18。

谜 题 91

1	2	2	3	4	4	1	2	3	3	4	1	2	2	3	4
3	3	2	1	4	4	3	2	2	1	4	3	3	2	1	4
4	1	2	2	3	4	4	1	2	3	3	4	1	2	2	3
3	2	1	4	4	3	2	2	1	4	3	3	2	1	4	4
3	4	1	2	2	3	4	4	1	2	3	3	4	1	2	2
2	1	4	3	3	2	2	1	4	3	3	2	1	4	4	3
3	3	4	1	2	2	3	4	4	1	2	3	3	4	1	2
1	4	4	3	2	2	1	4	3	3	2	1	4	4	3	2
2	3	3	4	1	2	2	3	4	4	1	2	3	3	4	1
4	4	3	2	2	1	4				1	4	4	3	2	2
1	2	3	3	4	1	2				4	1	2	3	3	4
4	3	2	2	1	4	3				4	4	3	2	2	1
4	1	2	3	3	4	1	2	2	3	4	4	1	2	3	3
3	2	2	1	4	4	3	2	1	4	4	3	2	2	1	4
4	4	1	2	3	3	4	1	2	2	3	4	4	1	2	3
2	2	1	4	3	3	2	1	4	4	3	2	2	1	4	3

你能推理出以上方阵背后的规律,并完成缺失的部分吗?

参见第 238 页答案 51。

家庭问询

　　某人回到家。他问了他女儿萨利一个问题（他不知道问题答案）。这个问题不论回答如何，是正确的还是错误的，是真的还是假的，他都会知道正确答案。那么问题是什么呢?

提示

1. 他的女儿之前不知道这个问题。

2. 她可以用任何语言回答。

3. 这个人问问题的时候,他的女儿不在房内。

参见第241页答案84。

谜题 92

按先后顺序从每个灯泡中挑出一个字母。你会发现5位小说家的名字。

参见第237页答案30。

埃及谜题之王

很久以前,在法老的时代,谜题之王相当受欢迎,甚至曾经有法老邀请他设计通向他陵墓的入口。法老表示,他的陵墓在他死后,不能被人劫掠,因此入口的设计必须能阻止外面的人进入。他会有200名最强壮的士兵陪葬,万一他复活了,需要他们将他解救出去。入口的设计如下图所示。神奇的立方体将入口封住。这个立方体在被移到金字塔里之前,如何匹配才能保证法老日后可以出去?

提 示

1. 立方体是实心的,用石头堆砌而成。如图所示,分为两半。

2. 在你看不到的一面的中间位置用鸠尾榫接合。立方体从每个角度来看都是一样的。每一面都有鸠尾榫接合。

3. 200人可以移动立方体一半,但是他们不能移动整个立方体。移动立方体需要400人。

4. 不需要外部帮助。

5. 没有使用任何铰链或特技。

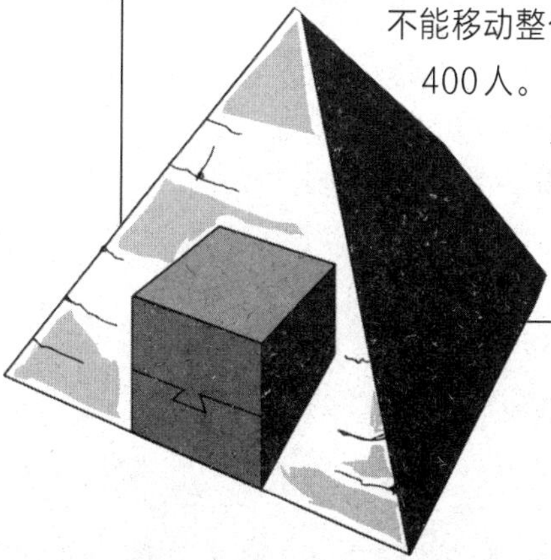

参见第240页答案66。

谜 题 93

所有这些车辆从同一
个地方出发,开往的目的
地城市如图所示。里程表
上显示的里程数看起来没
有意思,但是联系目的地
的名字,就会发现它们之
间有着某种逻辑关系。你
能推断出这种关系并找出
最后这辆车的里程数吗?

NEW YORK
1116

LAS VEGAS
1359

LOS ANGELES
1728

CHICAGO
1233

SAN FRANCISCO

参见第240页答案68。

谜 题 94

1. MRVNOAEC
2. DONIGFEIL
3. TVTALNNARAAI
4. OOENHLINGRA
5. GDIIIVOBOSUNRO

以上每行经调整顺序后即可拼出一部知名歌剧的名字。但
是每行都隐藏着2个多余字母。找出所有多余的字母,可以拼出
另一部歌剧的名字。给个提示,最后拼出的歌剧名字第一个字母
是D(不包含在以上任何一个字谜游戏中)。

参见第235页答案7。

打靶练习

一天,双胞胎拉里和皮特早上起床,在谷仓门上画了一些巨大的靶子。油漆干了以后,他们发现如果他们投出快球,板球就会将门砸坏。他们的橡皮球和网球不是丢了,就是因为无法留下痕迹记录他们打靶结果而不能用。双胞胎的竞争意识很强,他们想到一个办法,同时还能取悦父母。他们用球砸向门,玩了几个小时,每次投球都可以准确得分,而且结束后没有将院子弄得一塌糊涂需要清理,也没有破坏油漆。这怎么可能?

提 示

1. 球上没有染色,没有泥浆。

2. 球不会弹跳。

3. 双胞胎被告知在玩球之前需要先清扫院子。这个命令对他们有利。

4. 孩子身体也保持干净。

参见第237页答案32。

谜 题 95

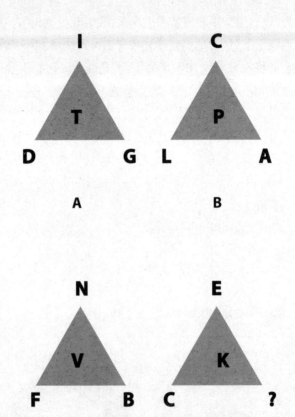

请找出恰当的字母代替问号。

参见第243页答案109。

萨利的清洗

萨利去浴室做清洗。她想将脸盆放满水,在肥皂表面弄出好看的泡沫,但不幸的是,脸盆的塞子丢了。她在其他地方找不到可以用的塞子,或者可以堵住排水孔的东西。但是她知道,一个龙头出来的水无法留在脸盆里,另外一个龙头出来的水不会流走。这是为什么?

提 示

1. 她没有将肥皂堵在排水孔。

2. 如果两个龙头都开着的话,排水孔排水会更快。

3. 几天前或几天后她都不能用这个方法。

4. 她不得不打开另一个龙头清洗脸盆。

参见第235页答案3。

谜 题 96

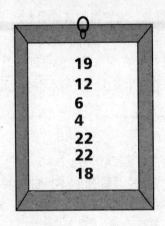

你能根据给出的密码推理出这幅画的画家吗?

参见第241页答案87。

谜 题 97

Sam在United States度假。他喜欢Idaho,但是讨厌Texas。他喜欢Hawaii,而不是Arkansas。他热爱California,而不是Wisconsin。

他喜欢Illinois吗?

参见第246页答案158。

持枪抢劫

有个人走进一家酒吧要了杯水。酒吧招待走到后台,出来的时候带了面罩,手持手枪。这名顾客表达了感谢,没有喝水就走出了酒吧。他为什么会感到满意?

> **提 示**
> 1. 酒吧招待并不认识这位顾客。
> 2. 这位顾客不是罪犯。
> 3. 酒吧招待没有给予或从这位顾客处拿走任何东西,虽然这位顾客失去了某样东西。

参见第236页答案25。

谜题 98

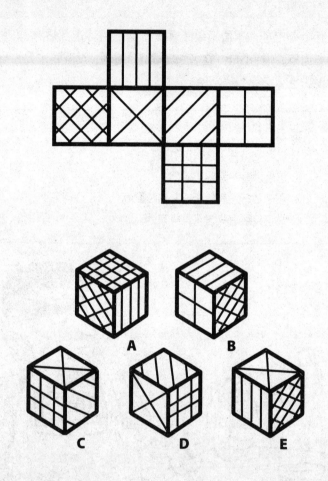

以上哪个立方体不是由上面的平面展开图折成?

参见第244页答案118。

飞 机

为什么要在跨大西洋航行的客机机身中灌水?

提 示

1. 这样做是安全的。

2. 飞机没有着火,也没有着火的危险。

3. 此前,乘客有危险。

4. 这并非水面着陆后的应急程序。

5. 这不是安全演练。

参见第 238 页答案 51。

谜题 99

11 13 17 25 32 37 47 ?

根据上面序列的规则,下一个数字应该是什么?

参见第245页答案150。

谜题 100

按顺序从每片云中选择一个字母。你会得到5位科学家的名字。

参见第239页答案58。

继承的房子

　　杰米并不知道他的叔叔死后留给他一幢海景房。他只知道那幢房子离悬崖200米距离,能俯瞰大海。大约30年前,当他还是孩子的时候曾经去过。杰米跟他叔叔并不亲近,但却是他在世的唯一一个亲人。由于杰米在国外工作,法律调查处花了几年时间才找到杰米。当他再次看到这幢房子的时候,他非常失望。为什么?

提示

1. 房子维护得很好,秩序井然。
2. 在房子和大海之间没有其他的建筑。
3. 花园打理得井井有条。
4. 附近的城镇很繁荣。
5. 他的失望并非出于伤感。
6. 他的叔叔一直住在那里,直到去世。

参见第242页答案93。

谜题 101

请找出恰当的字母代替正方形中的问号。

参见第240页答案62。

谜题 102

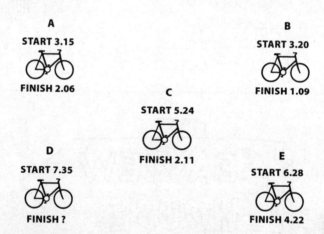

所有这些自行车都参加夜间比赛。奇怪的事情发生了！每辆车出发和到达时间在算术上有某种联系。如果你能发现这种联系,你就能知道自行车D的到达时间了。

参见第236页答案16。

交 易

为什么千万富翁决定购买一块距海边200多米的地？

提 示

1. 地位于海面下。

2. 没有任何采矿权,与采矿无关。

3. 附近几百英里地没有油。

4. 这里不是海港,也不会成为海港或码头。

5. 与游泳权无关。

6. 这是一次交易。

参见第240页答案71。

137

谜题 103

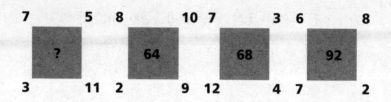

你能找出这些正方形背后的逻辑关系, 并找出缺失的数字吗?

参见第237页答案32。

谜题 104

上排选项中哪个图示只需添加一个圆形就可以满足上方图形的条件?

参见第245页答案148。

消防演习

　　佛罗里达一所学校内,火警铃响起,是消防演习。孩子们和教师并然有序,他们知道该怎么做。孩子们不知道这次仅仅只是演习。但是,消防部门却介入了,因为随后发生了大规模的恐慌。到底发生了什么事?

提　示

1. 老师和孩子们不能离开大楼。

2. 消防部门知道这次消防演习,但是开始并没有要求他们出席演习现场。后来他们被召集到现场。

3. 如果离开学校大楼,会危及很多生命。

4. 没有火灾发生。

5. 学校的门窗都关闭了。

参见第243页答案107。

谜题 105

哪个选项可以与上方的图形契合,拼成一个多边形?

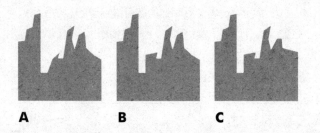

A　　　　　**B**　　　　　**C**

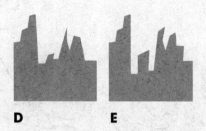

D　　　　　**E**

参见第 247 页答案 174。

不要过早下结论

有个人在他父亲面前出生,他同他的三个姐妹举行婚礼。他做的任何事都没有违背上帝或人类社会的律法。怎么会这样?

提 示

1. 他终生保持单身。

2. 他只有一个父亲,却崇拜另外一个。

3. 他不信仰允许近亲结婚或重婚的宗教教派。

4. 他的父亲比他大30岁。

参见第238页答案49。

谜题 106

BADEN-BADEN

EPSOM

LONGCHAMP

SARATOGA

NEWMARKET

以上这些马都将参加世界著名赛道举办的比赛。其中哪个与众不同？

参见第235页答案11。

谜题 107

你能找出这张图背后的逻辑关系，在最后一个方框内填入恰当的图形吗？

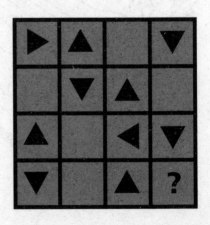

参见第245页答案143。

终 曲

在医院正常探访时间,所有家里的人都围在祖父床边。他已经昏迷几天了,但是预计近期不会有生命危险。突然间医院的背景音乐声断了,祖父很快就死了。为什么?

提 示

1. 他连接着监视器和营养液。
2. 他连接着生命维持设备。
3. 设备没有失灵。
4. 设备的电力供给没有中断。
5. 他的死亡是可以阻止的。

参见第235页答案13。

谜题 108

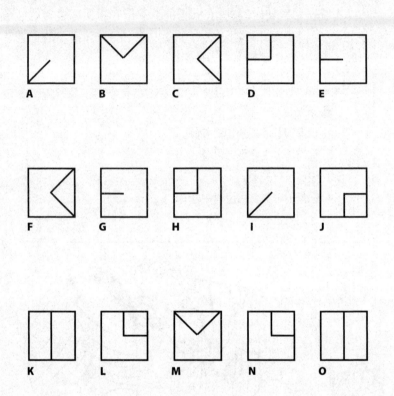

以上哪个正方形与众不同？

参见第243页答案103。

手提箱中的装尸袋

谢丽尔刚遇到新男朋友弗洛伊德。他们在拉斯维加斯相遇,在旋风式的浪漫之后,他们结婚了。当他们将行李搬上车的时候,她看到一个之前没有收拾过的手提箱,这只箱子是她的新婚丈夫放在汽车的后备箱的。里面有一个袋子装着一个小男孩的尸体。手提箱有洞,所以有空气可以进入,袋子半开着。她并没有因此离开弗洛伊德,或报警。为什么?

提 示

1. 他告诉她,她找到了他最好的朋友。

2. 装尸袋起保护作用。

3. 男孩 7 岁大。

4. 男孩不是他的儿子。

5. 尸体穿戴整齐。

6. 虽然有一条手臂断了,却没人怀疑是谋杀。

参见第 241 页答案 89。

145

谜题 109

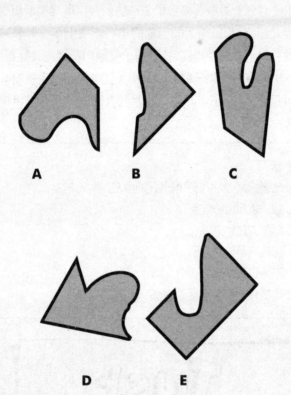

A   B   C

D   E

以上哪个图形与众不同？

参见第243页答案108。

Lock'emup红衣主教

红衣主教被授权使用国王的私人写字台,抓捕并关押一个被指控引诱王后的火枪手。书桌很华贵,上面镶嵌着成千上万的装饰物和珠宝。书桌有4个水晶墨水池,一个可放20支羽毛笔的抽屉。担任司法大臣的红衣主教清楚火枪手是无辜的,但将他处死却符合他的计划。在死刑执行日的前一天,三个火枪手觐见主教,恳求他的仁慈。但是主教却不愿听他们说,所以火枪手就用剑尖抵着他,强迫他写下一纸释放令,内容如下。

> 致:警卫队长
>
> 　我授权你立即释放火枪手安东尼奥。对于被指控的罪名,他是无罪的。
>
> 署名:Lockemup红衣主教

提示

1. 火枪手们看着主教写这封信。
2. 信的格式和印章有效。
3. 主教并没有预料到这次事故,此前并没有给警卫队长特殊指示。
4. 国王和王后并不知道事情的发展。
5. 火枪手们没有被通缉。
6. 安东尼奥正是他们想要营救的火枪手,他们前往的监狱确实关押着安东尼奥。
7. 主教没有拉警报。

用主教的印章将信封好,卷起来然后再封印。三个火枪手要求主教确保他两小时内不会被打扰。他们将他捆住,堵上嘴,锁在房里。然后他们前去解救另一位火枪手,结果却都被逮捕了。为什么?

参见第240页答案61。

谜 题 110

&	&	%	*	%	@	@	%	*	&	&	%	*	%	@	@
*	@	@	%	*	&	&	%	*	%	@	@	%	*	&	&
%	%	&	&	%	*	%	@	@	%	*	&	&	%	*	%
@	*	*	*	%	@	@	%	*	&	&	%	*	%	%	*
@	%	%	%	@				&	&	%	*	%	@	@	%
%	&	@	%	@				&	&	%	*	@	@	@	@
*	&	@	&	*				*	&	&	%	@	%	%	@
%	*	%	*	%	%	@	@	@	%	%	@	%	*	*	%
&	%	*	%	&	*	%	%	*	*	*	@	*	&	&	*
&	@	%	@	&	%	*	%	&	&	%	%	&	&	&	&
*	@	&	@	*	&	&	*	%	@	@	*	&	%	%	&
%	%	@	%	@	%	@	*	%	&	&	*	*	*	*	%
@	*	*	*	%	&	&	*	%	@	@	%	*	%	%	*
@	%	%	@	@	%	*	%	&	&	*	%	@	@	@	%
%	&	&	*	%	@	@	%	*	%	&	&	*	%	@	@
*	%	&	&	*	%	@	@	%	*	%	&	&	*	%	@

你能找出上面方阵的规律,完成缺失部分吗?

参见第243页答案101。

夜 贼

　　有个盗贼晚上闯入一幢房子,弄出的动静对他而言实在大了点。他快速穿过房子,发现了屋主最珍贵的珍宝,然后就带着珍宝跑出了房子。离开房子的时候,他发现警察已经在外面等他了。屋主没有指控他,警方也不再跟踪这个案子。但是被这次的骚动惊醒的邻居却坚持应该将这个人逮捕。究竟发生了什么事?

提 示

1. 房子安装了警报器。

2. 盗贼制造的噪音将屋内所有人都惊醒了。

3. 他不得不尽快离开房子。

4. 他一直计划进入这幢房子盗窃。

5. 法官是仁慈的。

参见第237页答案33。

谜题 111

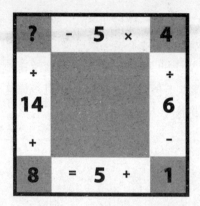

请用恰当的数字代替等式中的问号。

参见第 246 页答案 152。

谜题 112

12
31
23
42
34
53
45
?

根据上面序列的规则，
下一个数字应该是什么？

参见第 240 页答案 65。

女 警

一个女警看到一个男人试图撬锁进入一幢房子。他没能成功，然后他打破玻璃，进入屋内。

女警那天不值勤，但是她也没有报警。为什么？

> **提 示**
> 1. 她知道这个人的房子。
> 2. 她后来上班的时候并没继续跟踪这起事件。
> 3. 她喜欢住在房子里的人。
> 4. 她清楚住在屋子里的人没有危险。

参见第235页答案10。

谜题 113

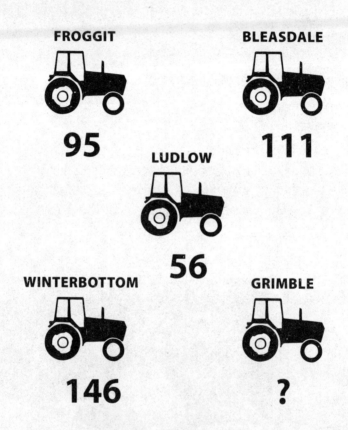

FROGGIT
95

BLEASDALE
111

LUDLOW
56

WINTERBOTTOM
146

GRIMBLE
?

每个农场主每英亩地收获的吨数都不相同。但是吨数与农场主名字有关联。Grimble 收获多少吨？每个字母可能代表 2 个数值。

参见第 240 页答案 61。

搬家公司员工

有人请搬家公司打包,将一幢非常昂贵的房子里的东西都搬到一个更昂贵的地区。房子里有精致的银制和金制餐具、稀有的艺术品以及非常珍贵的邮票集。搬家公司有一员工无法抵制诱惑,从邮票集内偷了一页。但是最后屋主却被捕了。这怎么可能?

提 示

1. 这不是保险欺诈。

2. 搬家公司员工并不认识屋主。

3. 搬家公司的这个员工失去了工作,而且被逮捕了。

4. 每张邮票的价值超过10 000美元。

参见第236页答案24。

谜题 114

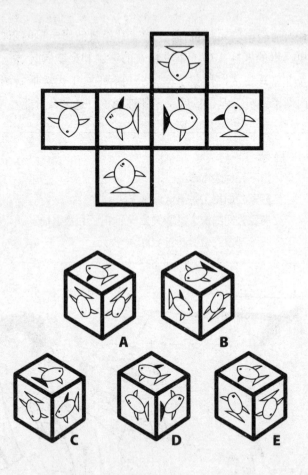

以上哪个立方体是由上面的平面展开图折成?

参见第243页答案114。

野蛮的袭击

一个男人冲过人群,撕掉一个漂亮女士的上衣,一拳打在她的胸口,然后将她带走。人群很震惊,但是却无人阻止这个男人。为什么?

提 示

1. 他以前从没有见过这位女士。
2. 警方在他后面追逐。
3. 他没有武器,而且体格也不强壮。
4. 警方没有逮捕他。

参见第239页答案53。

谜题 115

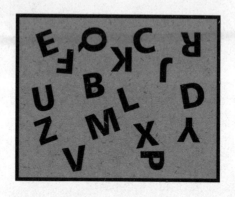

来一个字谜游戏,所给出的字母都是不需要用到的字母。你只要找到缺失的字母,调整顺序,就会发现一座根据美国总统命名的城市。注意! 有一个字母用到两次。

参见第246页答案166。

谜题 116

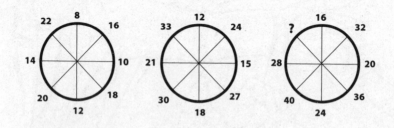

你能找出正确的数字代替问号吗?

参见第237页答案33。

廉价的购物者

　　一个低收入男人希望降低在超市购物的花费。他对计算机很在行，了解超市系统的工作原理。进入超市后，他便开始实施他的计划。他拿了满满一推车的商品来到付款处，准备按照收银机报出的价格支付所有这些商品的费用时，他被捕了。为什么？

> **提示**
> 1. 收银机报120.25英镑，他同意支付。
> 2. 所有的商品都是装在罐子、瓶子或纸袋里。他没有购买任何水果或蔬菜。
> 3. 他声称所买的东西都在付款处，推车和他身上没有任何东西。

参见第242页答案94。

谜题 117

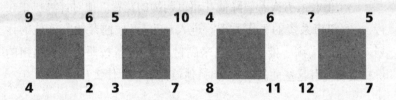

你能找出上面这些正方形背后的逻辑关系,用正确的数字代替问号吗?

参见第243页答案110。

谜题 118

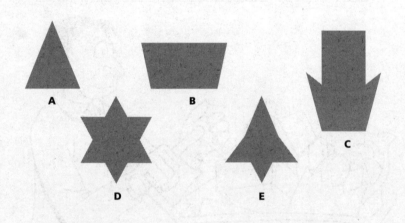

以上哪个图形与众不同?

参见第245页答案147。

父与子

　　乔的儿子很健康,他每天都锻炼身体,但他的头脑却不是最聪明的。乔看到他的孩子进进出出,他已经快50岁了,身体状况也不大好。他觉得如果让他儿子先出手,他仍然可以战胜他的儿子。乔的儿子永远不会放弃任何一个可以打败他父亲的机会,他接受了挑战,但是仍然输了。怎么会呢?

提示

1. 乔的身体与运动员相差太远。
2. 乔从不作弊,也没有其他人帮助。
3. 不涉及汽车或帆船。
4. 乔的儿子没有故意让他父亲获胜。
5. 儿子先开始10秒。

参见第240页答案72。

谜题 119

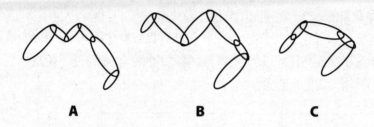

A　　　　B　　　　C

A与B的关系如图所示,则C应与以下哪个图形相匹配?

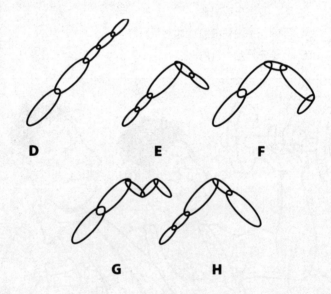

D　　　　E　　　　F

G　　　　H

参见第245页答案146。

笨重的钢琴

阿尔夫有些爱搞恶作剧捉弄人,他的同事总是会被他捉弄。一天他们需要将一架钢琴和其他一些东西搬到商场楼上。尽管钢琴很重,他们还是将东西放在钢琴上,一起搬上楼。阿尔夫正向后退,他扛着钢琴的前端爬楼梯。乔在后面突然遇到了麻烦。阿尔夫问他是否可以在原地稳住钢琴,等他找到人帮忙。乔说,"可以,但是要快点。"阿尔夫立即跑开了,不到一分钟就回来了,将一些东西塞到乔的上衣口袋。"给,"阿尔夫说,"那应该可以!"乔不觉得好笑。阿尔夫做了什么他自认为可以帮乔很大忙的事情?(实际上没有!)

提 示

1. 他用的是有关寻求帮助词语的字面解释。

2. 这并没有帮到乔,钢琴动不了。

3. 没有其他人帮忙。

参见第 243 页答案 104。

谜题 120

按先后顺序从每个灯泡中挑出一个字母。你会发现5位艺术家的名字。

参见第236页答案28。

谜题 121

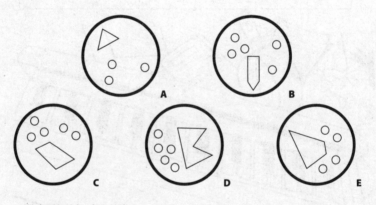

哪个图形与众不同？

参见第244页答案124。

火

　　一对夫妇的房子刚建成,由于夜晚很寒冷,他们想生堆火取暖。外面的风以每小时40英里的速度刮着,很快他们感到暖和舒适,睡着了。数小时后,他们两人都死了。发生了什么事?

提 示

1. 房子没有烧毁。

2. 房子没有被风吹倒。

3. 他们不是窒息而死。

4. 他们不是被烧死的。

参见第237页答案43。

谜题 122

你能找出右侧正方形背后的逻辑关系,用正确的数字代替问号吗?

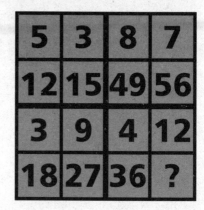

参见第236页答案23。

谜题 123

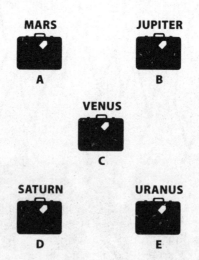

首次星际旅行即将要启程了。谁的行李会被放错站?

参见第238页答案49。

医生出错了吗?

一农场工人从拖拉机上掉下来,有些挫伤,他自己认为可能摔断了脚踝。他被送往当地医院,一位实习医生开始给他做检查。突然实习医生大叫,"心搏停止!"立即有人将起搏设备推入门诊部。诊断很正确,农场工人5小时后回家了。怎么会这样?

提示

1. 农场工人回家的时候还活着,有资质的专业人士允许他离开。
2. 实习医生一切都做得很正确。
3. 指导医生感谢实习医生行动及时。
4. 造成心搏停止的既不是摔断的脚踝,也不是挫伤。

参见第243页答案113。

谜 题 124

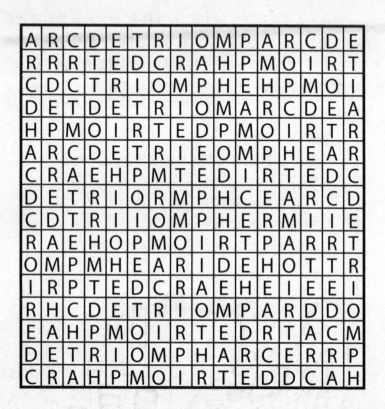

"ARC DE TRIOMPHE" 隐藏在方阵的某处。整个短语只完整地出现过一次。其排列成直线,方向有一次改变。你能找到吗?

参见第237页答案43。

伪造大师

有史以来最高明的伪造大师事实上是个极其聪明的艺术家,他在犯罪界被崇拜、广受欢迎。几乎所有的重大情报机构都会监视他以及跟他接触的每个人。他们甚至还在他家、办公地安装传声器和照相机监听。当他们得到消息,有人要他伪造新的50英镑纸币时,警方所做的一切都体现出价值。警方提前得到消息,在他开始伪造纸币之前就搜查了他的住所。为什么?

提 示

1. 他们不是搜查他是否有纸或墨水。
2. 他们不是要检查他是否有摄像设备。
3. 搜查很成功。
4. 伪造大师后来制作出完美的50英镑纸币,即被逮捕,投进监狱。

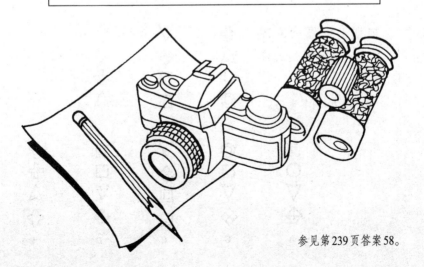

参见第239页答案58。

谜题 125

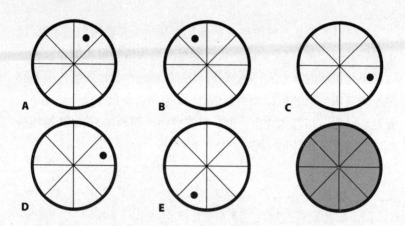

根据上面序列的规则,下一个圆盘应该是怎样的?

参见第239页答案55。

谜题 126

根据上面序列的规则,下一纵列应该是怎样的?

参见第244页答案130。

高尔夫球手

两个高尔夫球手之间有场挑战赛。一个得到72分,另一个得到74分。分数最高的那个人赢了。根据以下提示,这是怎么回事?

提 示

1. 他们面对相同的障碍。

2. 他们的得分统计都正确。

3. 两个选手都没有遭到罚球,他们严格遵照规则。

4. 得分低的选手并不意味着不合格。

5. 这场锦标赛并不是只有得到74分的选手参加。

参见第241页答案87。

谜题 127

**MINNEAPOLIS
DALLAS
ANDOVER
ROCKFORD
DAVENPORT**

**INDEPENDENCE
WICHITA FALLS
ATLANTA
CHICAGO
PASADENA
NEW YORK**

下方方框中哪个名字可以添加到上方的方框中？刚开始你可能会觉得有些困惑，但是，不要被表象迷惑了，这道题实际上跟美国无关，答案是某国的首都。

参见第245页答案139。

一杯咖啡

一个瞎子走进一家餐厅,要了一杯咖啡。咖啡端上来的时候,他抱怨咖啡不够热,要求换一杯。当侍者重新端上咖啡的时候,他抱怨这仍是同一杯咖啡。他如何知道的?

提示

1. 咖啡杯没有裂缝或有可以使它区别于餐厅内其他杯子的地方。
2. 他没有在杯子外缘留下黏性记号或奶油。

参见第240页答案62。

171

谜题 128

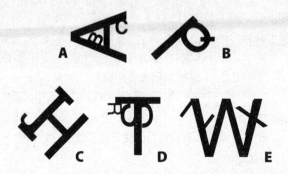

以上哪个符号与众不同？

参见第244页答案125。

谜题 129

所有的马都已经准备就绪。哪匹马与众不同？

参见第238页答案48。

疯狂的司机？

在一条三车道高速公路上，为什么有个司机迅速加速撞上他前面的车？

提 示

1. 他没有喝酒或服用药物。

2. 他不认识前面车的司机。

3. 他的脚没有发生肌肉痉挛；他的行为是蓄意的。

4. 他不希望伤害任何人。

5. 这不是由于地震之类的天灾所致。

6. 他不是为了跃过断桥或路上的坑。

参见第237页答案31。

谜题 130

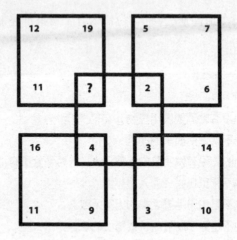

你能找出恰当的数字代替问号吗?

参见第245页答案142。

谜题 131

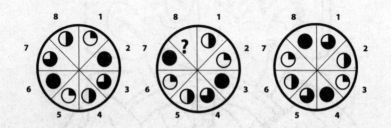

你能找出恰当的图形代替问号吗?

参见第236页答案22。

惊 叹

一个孩子看到一个男人炸了银行,杀了3个人,他感到非常震惊。这个孩子对整个事件看得很清晰。警察却没有询问他。为什么?

提 示

1. 这个孩子12岁了。

2. 这个孩子告诉了父母他的所见,他们也没有报警。

3. 他们家不害怕遭到报复。

4. 孩子并不认识那个男人,但是他可以清楚地描述杀手模样和整件事情的经过。

5. 孩子并没有撒谎。

6. 杀手不承认谋杀。

参见第235页答案4。

谜题 132

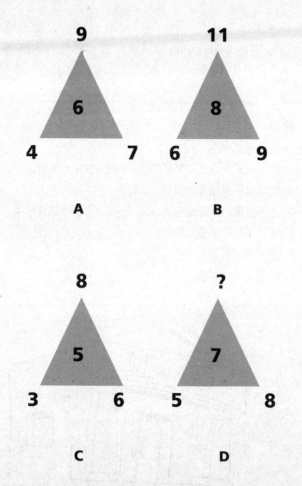

你能找出以上三角形背后的逻辑关系,用正确的数字代替问号吗?

参见第243页答案100。

三角形

添加7根直线后,不重叠的三角形最大数量是多少个?

下图只有5个三角形,但是你可从7根线中得到更多的三角形。

参见第236页答案22。

谜 题 133

··

Stephie 环游欧洲度假。她喜欢 Hamburg, 讨厌
Berlin。她喜欢 Strasbourg, 但是她避免去 Paris。她热
爱 Milan, 讨厌 Rome。

她喜欢 London 吗?

参见第 246 页答案 157。

谜 题 134

··

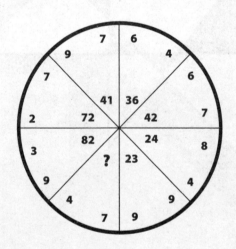

你能找出恰当的数字代替问号吗?

参见第 235 页答案 13。

善妒的丈夫

（这道题于1612年由克劳特·葛斯派·勒切发明。）

三个善妒的丈夫要和他们的妻子划船过河。这艘船每次只能载2个人，6人中只有3个人会划船。他们6人怎样才能过河，并且确保没有女士与其他男士待在一起，除非他们的丈夫在场？

参见第239页答案59。

谜题 135

A   B   C   D   E

根据上面序列的规则,下一个应该是哪个选项?

参见第245页答案141。

谜题 136

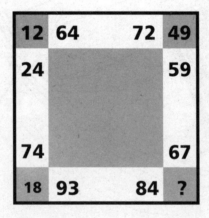

请找出恰当的数字代替问号。

参见第236页答案29。

开 会

来自 Nepal 的一个人坐飞机（plane）拜访来自 China、戴着一根项链（Chain）的人。当来自 Iran 的人加入他们的时候，天气会怎样？

参见第 242 页答案 99。

谜题 137

你能根据书上的密码推理出这本书的著名作者吗?

参见第235页答案1。

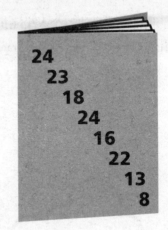

谜题 138

你能根据正方形背后的逻辑关系,找出缺失的字母吗?

参见第241页答案81。

困惑和谎言

从前有一家人出了名的别扭。家族里的男性一直说实话,但是女性从来不会连续两句说真话或连续两句假话。

一天,父亲和母亲带着孩子,他们碰到一个来访者。来访者问孩子,"你是男孩吗?"但是来访者不理解孩子的回答。双亲中的一个回答说,孩子的回答是"我是个男孩"。另一个家长则说,"孩子撒谎了,她是女孩!"这个孩子是男孩还是女孩?这个孩子说了什么?

参见第241页答案78。

谜题 139

A

**NO. 220
DENVER**

B

**NO. 47
KANSAS CITY**

C

**NO. 25
GALVESTON**

D

**NO. 363
LAFAYETTE**

E

NO. 428

**A) PORTLAND
B) CHICAGO
C) NASHVILLE
D) BUFFALO**

　　每列火车与其目的地之间有某种关联。你能计算出第428次火车要开往哪里吗？

参见第238页答案47。

来自过往岁月的横向思维智慧

你能只添加一根直线,将101010变成950吗?

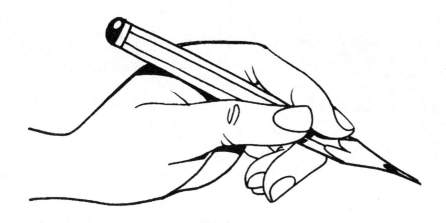

参见第243页答案111。

谜题 140

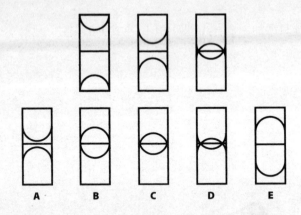

根据上面序列的规则,下一个形状应该是哪个选项?

参见第243页答案113。

谜题 141

按先后顺序从每个灯泡中挑出一个字母。你会发现5位诗人的名字。

参见第236页答案19。

赌 场

5个人坐在一张大赌桌旁,从晚上10点一直玩到凌晨3点。他们都是职业的,中途没有停止休息,也没人加入或退出。他们自己玩,没有要赌场员工帮忙。他们保管自己的账目,他们所有人回家的时候手里的钱都比开始的时候要多。这怎么可能?

提 示

1. 他们没有跟机器对玩,譬如老虎机或21点机。

2. 他们没有玩宾果游戏,也没有跟赌场赌。

3. 每次他们一起在赌场的时候,他们每个人回家的时候都不会输,总是赢。

参见第238页答案47。

谜题 142

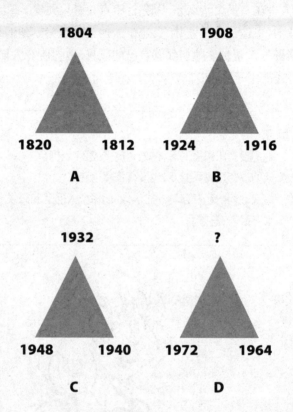

你能找出这些三角形背后的规律,用恰当的数字代替问号吗?

参见第 237 页答案 34。

陆军下士

一个男人来到一家餐厅坐下,开始自顾自地大声朗读菜单。"牛排和薯条,7英镑;牛排、鸡蛋和薯条,8.5英镑;色拉,4英镑……"服务员上前对这个人说,"你一定是一位陆军下士。"服务员是对的,但是他怎么会做出这种联系的呢?

提示

1. 他们此前从没有遇到过,这个人是单独一个人。

2. 他们不在陆军基地附近。

3. 这个人的声音没有打扰到其他人。

4. 他说起话来并不像操练军士。

参见第243页答案112。

谜题 143

3 4 6 8 9 12 15 16 ?

根据上面序列的规则，下一个应该是什么数字？

参见第240页答案66。

谜题 144

NO. 10

ARRIVES 2.15

NO. 2

ARRIVES 3.02

NO. 30

ARRIVES 2.45

NO. 8

ARRIVES 3.08

NO. ?

ARRIVES 2.30

5位自行车手参加比赛。每位运动员的号码和他们各自的到达时间有某种关联。你能计算出在2.30到达的运动员的号码吗？

参见第235页答案3。

被抛弃的查理

查理小时候被抛弃了,他的日子过得很苦,并不仅仅是他,还有他的养父母。他杀死了养父母的孩子,但是他们却仍然辛勤工作保证他能生活下去,有个家。查理长大后,他离开了养父母,永远都没回来。

警方和社会服务处压根儿没理会查理,即使他也杀死了养父母的孩子。为什么?

提示

1. 当他猎杀的时候,无关他是否未成年。
2. 他的家庭出了名的准时。
3. 虽然谋杀很残忍,但他的养父母却没有对他提出指控。
4. 他从来没有参军或者有社会服务号。
5. 他生于春天。

参见第235页答案11。

谜题 145

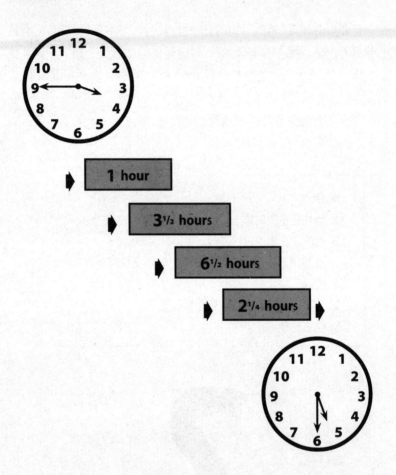

使用如题所示的时间，每一步应该是前进还是后退，才能从上方的钟到达下方的钟？

猎豹和鬣狗

猎豹在星期一、星期二和星期三撒谎,其他天都说实话。鬣狗在星期四、星期五和星期六撒谎,但是其他天说实话。

一天狮子听到他们谈话。猎豹说,"昨天我一整天都撒谎了,"而鬣狗的回答也一模一样。那天是星期几?

参见第241页答案86。

谜题 146

你能找出恰当的字母代替正方形中的问号吗？

参见第237页答案31。

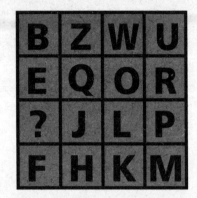

谜题 147

这些时钟表盘之间有某种关联。你能计算出3号钟应该是几点吗？

参见第235页答案5。

迷失在大海

乔舒亚·史林普在海上航行了40年,他多次绕行地球。但是晚上他却经常在床上或干燥的陆地上度过。这是怎么回事?

参见第240页答案65。

谜题 148

S	T	A	T	U	E	O	R	T	S	T	A	T	U	E	S
S	R	E	B	I	L	F	O	E	U	T	A	T	A	T	D
L	S	T	A	T	U	L	I	B	E	R	T	O	F	F	A
I	L	I	B	E	R	T	E	L	I	B	E	R	L	O	T
B	O	F	L	I	B	U	E	O	S	T	A	I	F	S	U
E	T	S	T	A	T	U	E	O	F	S	B	T	S	O	F
R	O	F	L	A	S	U	F	T	L	E	T	T	A	S	L
T	I	C	T	B	T	L	R	I	T	Y	A	S	T	T	I
Y	U	S	E	A	I	S	B	Y	T	T	A	T	U	A	B
E	L	I	T	B	B	E	E	S	T	A	T	U	E	T	E
R	T	S	E	Y	R	Y	T	R	E	B	L	F	O	U	R
S	T	R	A	T	U	S	O	F	L	I	B	E	R	T	Y
L	T	I	S	B	E	T	O	F	S	T	A	T	U	E	O
Y	T	A	T	U	E	A	F	O	T	R	E	B	I	L	F
E	B	I	L	F	O	T	S	T	A	T	U	E	O	E	L
R	T	S	T	A	T	U	T	S	F	O	T	R	E	B	I

　　"STATUE OF LIBERTY" 隐藏在方阵某处。整个短语只完整地出现过一次。你能找到吗？其排列成直线，方向只有一次改变。

参见第 242 页答案 98。

外星人会议

现在是公元2156年，1000个外星人在火星上参加星际间会议。

606人有3只眼。

700人有2只鼻子。

497人有4条腿。

20人没有以上任何特征。

只有3只眼的人是只有4条腿的人的4倍。

220个外星人有以上3种奇怪的特征。

如果只有30个外星人有3只眼，4条腿,那么有多少个外星人只有2只鼻子?

参见第241页答案80。

谜 题 149

你能找出恰当的数字代替
正方形中的问号吗?

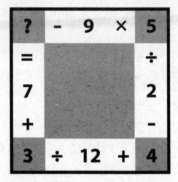

参见第245页答案138。

谜 题 150

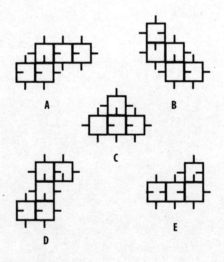

以上哪个图形与众不同?

参见第245页答案140。

百万富翁的遗产

有个百万富翁留下14,148,167元给他的7个儿子,其余捐给慈善机构。他在遗嘱中规定了限制条款,如果他的儿子们不能平分这些钱,那么所有的财产都将捐给慈善机构。他的儿子们要如何做才能继承遗产呢?

参见第235页答案9。

谜题 151

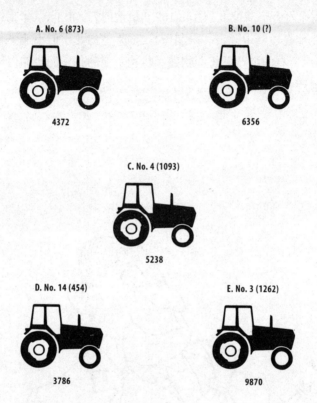

A. No. 6 (873)

4372

B. No. 10 (?)

6356

C. No. 4 (1093)

5238

D. No. 14 (454)

3786

E. No. 3 (1262)

9870

　　每辆拖拉机在地里收土豆（括号中为英亩数）。拖拉机下方的数字为土豆的公斤数。拖拉机的号码、英亩数和土豆重量之间有某种关联。拖拉机 B 收到的土豆重量应该是多少？

参见第237页答案39。

又一桩住宅凶杀案

　　庄园领主被谋杀了。庄园里的来访者有Abbie，Bobby和Colin。凶手是三人中至少比另外两个中的一个晚到庄园的。其中一个来访者是侦探，他到达庄园时间至少比另外两人中的一个早。侦探午夜到达。Abbie和Bobby都不是在午夜后抵达的。Bobby和Colin之间早到的那个不是侦探。Abbie和Colin之间晚到的那个不是凶手。究竟是谁杀了人？

参见第236页答案21。

谜题 152

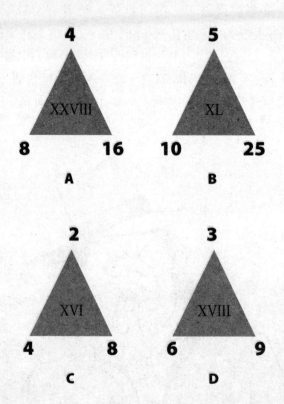

以上哪个三角形遵循的规律与其他的都不相同?

参见第235页答案6。

在泥土里

两个孩子在谷仓的阁楼上玩耍,突然间发生了倒塌,他们都摔倒在地。当他们拍掉身上的灰尘时,一个孩子的脸上脏了,而另外一个脸却是干净的。只有脸干净的那个孩子离开去洗脸了。为什么?

提示

1. 他们两个都不需要冷水阻止瘀伤,他们都没有受伤。
2. 孩子们都没有将脏手放在脸上。
3. 灰尘弥漫,他们都被汗浸透了。

参见第238页答案52。

谜题 153

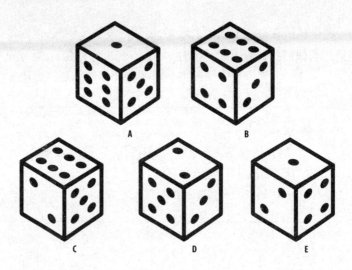

以上哪个立方体与众不同？

参见第235页答案2。

谜题 154

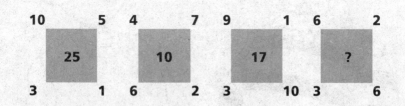

10	5	4	7	9	1	6	2
25		10		17		?	
3	1	6	2	3	10	3	6

你能根据正方形背后的规律，找出缺失的数字吗？

参见第240页答案71。

假日灾难

　　比尔·卓尔兰姆和他的终身伴侣不喜欢寒冷的天气,冬天的时候他们经常飞往温暖的地区度假。今年他们决定和其他朋友组团一起去。他们到达机场发现团队中的大多数成员和30个他们从来没见过的人都被杀死了。他们团队中的幸存者受了伤,却没有被送往医院,其他受伤者却被送进医院。你能解释发生了什么事吗?

提 示

1. 是这个团队的成员制造了麻烦。

2. 他们并不是故意制造麻烦的。

3. 没有疾病或病毒。

4. 不是恐怖袭击或劫机。

5. 与枪支无关。

6. 如果他们不是那么多成员一起去,那30个陌生人可能会活下来。

参见第242页答案91。

谜 题 155

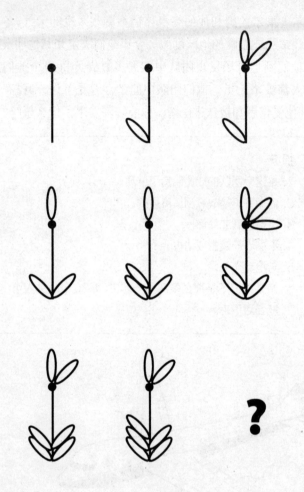

根据上面序列的规则,下一朵花应该是怎样的?

参见第242页答案95。

进 化

　　三个无人居住的小岛之间的距离可以游泳到达,但是只有在每年的某些特定时间才行。这要视它们之间的洋流决定。有一组博物学家探险队将动物 x 放在岛 A 上,动物 y 放在岛 B 上,动物 z 放在岛 C 上。岛上没有其他动物,也没有动物会造访这些小岛。

　　几年后探险队返回时,他们发现岛 A 上没有动物,岛 B 上有动物 x 和 y,以及一只新的动物,而岛 C 上的动物和岛 B 相同,另外还有动物 z 和另一只新动物。你可以给这 5 个动物命名吗?

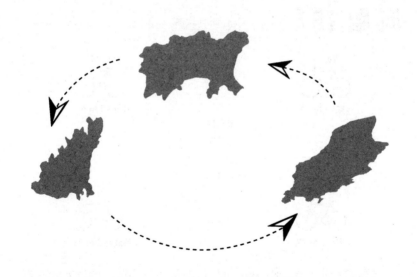

参见第 240 页答案 73。

谜题 156

你能找出正方形中缺失的
数字吗？

156	48	96	3
384	192	24	12
768	96	48	6
192	?	12	24

谜题 157

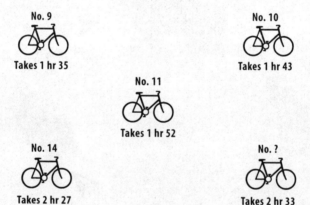

No. 9
Takes 1 hr 35

No. 10
Takes 1 hr 43

No. 11
Takes 1 hr 52

No. 14
Takes 2 hr 27

No. ?
Takes 2 hr 33

5位自行车手参加比赛。每位运动员的号码和他的比赛耗时有
某种关联。你能计算出最后一位运动员的号码吗？

满满一桶酒

一艘船失事后,有一箱酒被冲上岸,摇摇欲坠地卡在岸上的一些岩石之间。岛上唯一的居民只有一个瓶子和一个橡皮塞,橡皮塞正好能塞住酒桶顶部的桶孔。他还有源源不断的纯净水。他无法移动桶,为了不浪费桶里的酒,他也不能打破桶。如果不允许将水装进桶里,他又不希望毁了酒,他如何才能将酒装进瓶子里?

桶孔在酒桶顶部

参见第243页答案100。

谜题 158

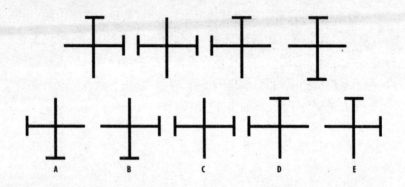

根据上面序列的规则，下一个图形应该是哪个选项？

参见第 244 页答案 134。

谜题 159

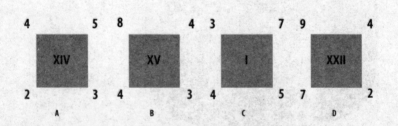

以上哪个正方形遵循的规律与众不同？

参见第 240 页答案 74。

一封能治愈聋病的信

　　一个聋女人遭到一个骗子的戏弄,他告诉她如果向他购买一封特殊的信,她就可以听见声音。当她打开信封的时候,她发现了什么?

参见第238页答案46。

谜题 160 ···

S	E	R	E	P	E	N	S	T	I	N	E	R	E	S	E
E	E	S	E	N	R	P	E	N	S	E	R	P	E	N	T
R	S	R	S	E	I	S	R	T	E	R	P	E	N	T	I
P	E	P	P	S	E	T	P	I	N	E	N	E	S	S	S
E	R	E	S	N	T	N	N	N	E	R	I	N	N	N	E
N	P	N	E	R	T	E	T	E	P	N	S	E	E	I	R
T	E	T	R	P	S	I	I	T	P	T	P	T	R	T	P
N	N	I	P	E	E	N	N	T	R	R	S	E	P	N	E
E	T	N	E	N	T	E	E	E	E	S	E	T	E	E	N
I	N	E	N	T	R	S	E	S	R	E	T	S	N	P	T
S	E	R	T	P	E	N	T	I	N	E	T	S	T	R	I
S	E	R	N	P	E	N	T	I	N	E	E	N	I	E	T
E	S	R	E	I	S	E	R	P	E	N	T	I	N	S	E
S	E	T	E	N	N	I	T	N	E	P	R	E	S	T	E
R	S	E	N	E	I	T	N	I	P	R	E	S	E	S	T
S	E	R	P	E	N	S	N	I	T	N	E	P	R	E	S

单词 "SERPENTINE" 隐藏在方阵的某处。整个单词只完整地出现过一次。你能找到吗？其排列方向任意，但是所有字母成一直线。

参见第 239 页答案 59。

造成困惑的双胞胎

　　有个父亲一直都想要4个儿子。他的祖先都有庞大的家庭,因此他觉得这并没有什么。但是,他后来很失望,因为他只生了3个儿子。他最大的儿子现在28岁,他将土地的四分之一给了大儿子作为他的财产。他没有将其他份额分给其他的儿子,后来一件美妙的事情发生了:双胞胎,两个都是儿子! 他立即将余下的土地分成4块形状相同、面积相等的部分,给剩下的孩子每人一份。他艰难地将土地平分成4份,他究竟是如何做到的?

参见第243页答案114。

谜 题 161 ·······································

按顺序从每片云中选择一个字母。你会得到5位罗马皇帝的名字。

参见第240页答案63。

如何作弄精灵？

国王有一盏魔法灯,里面住着一只精灵。他有一个漂亮的女儿爱着阿拉丁,但是国王不喜欢阿拉丁,不希望他们结婚。但他又不想让女儿失望,因此一天,他摩擦那盏灯,唤出精灵一起想出一个计划。国王说他会叫阿拉丁和他的女儿在精灵那里做个测试,检测阿拉丁是否值得尊敬。他们都必须遵守结果。国王和精灵筹划的时候,阿拉丁刚好经过,听到了他们的谈话内容。精灵说,"我会给阿拉丁准备2个信封,让他挑选自己的命运。我们可以告诉他其中一个内容是'结婚',而另一个则是'永远驱逐'。阿拉丁必须选择一个信封,但是我会保证两个信封里内容都是'永远驱逐'。"

阿拉丁该如果对付精灵和国王？

参见第235页答案12。

谜题 162

右图总共有多少个三角形？

参见第242页答案99。

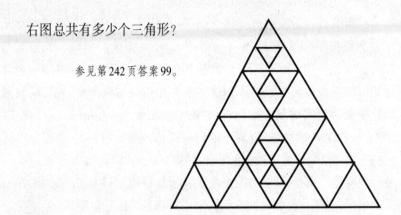

谜题 163

Quay 13

Cardiff

Quay 28

Porthcawl

Quay 11

Aparri

Quay 12

Bharuch

Quay 26

a) Bhaktal
b) Kasaragood
c) Cochin
d) Lisbon

码头的号码和船的目的地
有某种关联。你能计算出26号
码头上的船将驶向哪里吗？

参见第235页答案4。

汽车位置

你在汽车内,车子停在一条直路上,面朝东。你面朝这条马路的方向启动,开了一段时间,你所在的地方在距你开始之地以西2.7英里距离的地方。怎么会呢?

提 示

1. 这辆车没有空中飞行能力。

2. 车子没有在拖车上,没有被拖行。

3. 你没有环游世界。

4. 你不能将车子掉头。

参见第241页答案81。

谜题 164

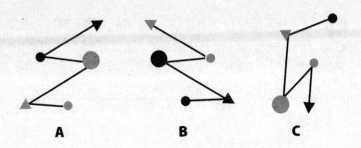

A与B的关系如图所示，则C应与以下哪个图形相匹配?

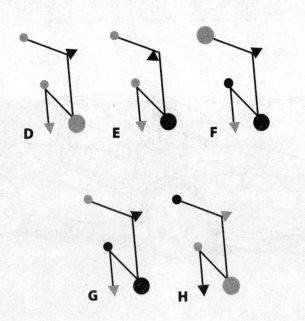

参见第243页答案112。

加法正确吗?

　　两个母亲和两个女儿一起上街购置新裙子参加结婚庆典。她们返回的时候,每个人都有一条新裙子,但是她们总共只买了3条裙子。这怎么可能呢?

参见第241页答案79。

谜题 165

你能找出恰当的数字代替
正方形中的问号吗?

16	10	20	14
8	140	134	28
14	70	268	22
7	?	38	44

参见第236页答案27。

谜题 166

A

B

C

D

E

以上哪个图形与众不同?

参见第244页答案132。

不是那么科学

什么东西你用裸眼看得见,看上去没有重量,但是将它们放入空的容器越多,这个容器就会变得越轻? 答案有两种可能。

参见第237页答案30。

谜题 167

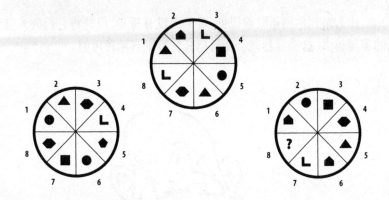

你能找出恰当的图形代替最后一个圆盘中的问号吗？

参见第 235 页答案 8。

谜题 168

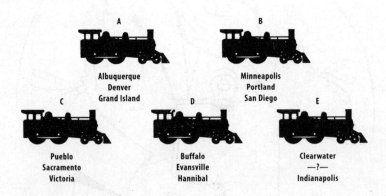

这些火车行进路上经过 3 座美国城镇。你能找出最后一列火车缺失的城镇名字吗？

参见第 237 页答案 37。

北极探险家

有个人走进一家海鲜餐厅,点了炖海豹。只吃了几口后,他写了张纸条给警察,然后掏出枪,向自己开枪。为什么?

提示

1. 他并不是不幸福,在进餐厅之前他从来没有这种想法。

2. 他点了炖海豹,因为最近一次探险时,他靠着这个食物支撑了14天。

3. 他留下的条子告诉警方他是自杀,并给出了理由。

4. 他给出的理由与他跟另外两个朋友一起进行的探险有关。

参见第236页答案15。

谜题 169

+	+	−	−	−	÷	÷	X	X	X	+	+	−	−	−	÷
X	+	+	−	−	−	÷	÷	X	X	X	+	+	−	−	÷
X	+	−	−	−	÷	÷	X	X	X	+	+	−	−	−	X
X	+	÷	÷	X	X	X	+	+	−	−	−	÷	−	÷	X
÷	X	−	+	−	−	−	÷	÷	X	X	X	÷	÷	÷	X
÷	X	−	+	X	+	+	−	−	−	÷	+	X	÷	X	+
−	X	−	X	X	X	+	+	−	−	÷	+	X	X	X	+
−	÷	+	X	X	X	+	−	−	−	X	−	X	X	X	−
−	÷	+	X	÷				−	÷	X	−	+	X	+	−
+	−	X	÷	÷				X	÷	X	−	+	+	+	−
+	−	X	÷	−				−	+	+	÷	−	+	−	÷
X	−	X	−	−	−	+	+	X	X	X	÷	−	−	−	÷
X	+	÷	−	−	+	+	X	X	X	÷	÷	−	−	−	X
X	+	÷	−	−	−	+	+	X	X	X	÷	÷	−	÷	X
÷	X	X	X	÷	÷	−	−	−	+	+	X	X	X	÷	X
÷	−	−	−	+	+	X	X	X	÷	÷	−	−	−	+	+

上面的方阵根据一定的规律构成。你
能找出缺失的符号吗?

参见第240页答案70。

砾石场

大艾尔和小乔刚抢劫了一家珠宝店,警方就在他们后面不远的地方。他们的逃跑路线靠近一座废弃的砾石场,砾石场开张的时候小乔曾在那里工作过。他们停下来,将装着宝石的袋子扔在石场边,他们亲眼看到袋子掉落的地方。为了将珠宝袋更好地隐藏起来,他们在袋子上洒了些干燥的沙子。20秒后,他们再看石场边,已经看不到袋子了,沙子和下面潮湿的沙地混合在一起。又跑了2英里,他们被警察抓获,但是后来却由于缺乏证据只得将他们释放。大艾尔第二天杀死了小乔,却仍然逍遥法外。当时情况如何?

提 示

1. 他们俩人都没有告诉警方上哪里找珠宝。

2. 没有任何动物、鸟或人移动珠宝。

3. 珠宝从他们埋的地方消失不见。

4. 大艾尔没有在晚上拿走珠宝,他也没有怀疑是小乔拿走了珠宝。小乔也不怀疑是大艾尔移动了珠宝。

5. 他们记得很清楚埋珠宝的地方。

6. 当地有警告牌,所以无法从上面看见。

参见第240页答案60。

谜题 170

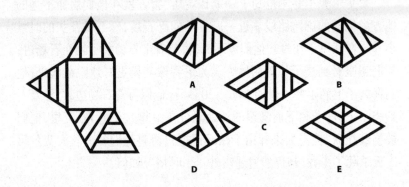

以上哪两个金字塔不能由上面的平面展开图折成?

参见第246页答案168。

谜题 171

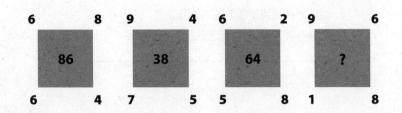

你能找出正方形背后的规律,用恰当的数字代替问号吗?

参见第240页答案72。

226

安 静

"你好"亨利说,他在女朋友的脸颊上轻轻吻了一下。然后他问,"晚餐在哪里?"几分钟后,他说,"你爸爸不可能那么说。"他是正确的,但是你知道原因吗?

提 示

1. 她的父亲还健在,身体健康,他的意识或嗓音完全没有问题。
2. 他同他的后代都出生、成长在同一个国家。
3. 他们仍然一起生活,每天都有交流。
4. 父亲并不生亨利的气。

参见第242页答案97。

谜题 172

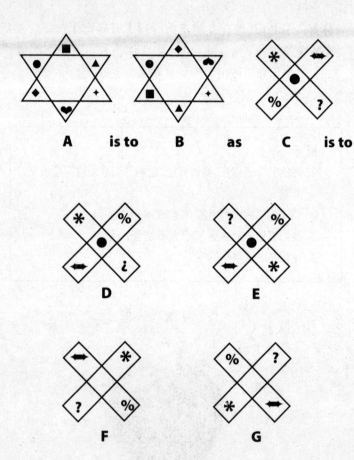

A　　is to　　B　　as　　C　　is to

D

E

F

G

A与B的关系如图所示，则C应与以下哪个图形相匹配？

参见第241页答案83。

外部世界

弗雷德对于外部世界总是很好奇。每天他都用渴望的眼神透过玻璃盯着那个他从来都不知道的世界看。然而,有一天,不可思议的事情发生了。外面玩耍的几个男孩无疑打破了玻璃。弗雷德顿时很后悔自己的好奇心。

为什么?

参见第240页答案69。

谜 题 173

按顺序从每片云中选择一个字母。你会得到5位著名剧作家的名字。

参见第236页答案25。

小安妮

圣诞节刚过,小安妮前往村里的商店,为母亲购买糖果和一些东西。"安妮,总共应该是10.5英镑,"店主说。安妮递了一张10元和一张5元纸币给他,然后等待她买的东西和找钱。

"安妮,在你母亲来之前,我不能给你商品或者找零。"店主以非常友善的口气解释道。为什么?

提示

1. 她没有买任何烟草、香水、酒精类商品,或者购买年龄超过她岁数的东西。
2. 即使没有叫她去商店买东西,她母亲也不会对她感到失望。
3. 她经常去商店给母亲买些小东西,特别喜欢得到一些糖果作为额外奖励。
4. 她是个诚实的孩子。

参见第243页答案102。

谜题 174

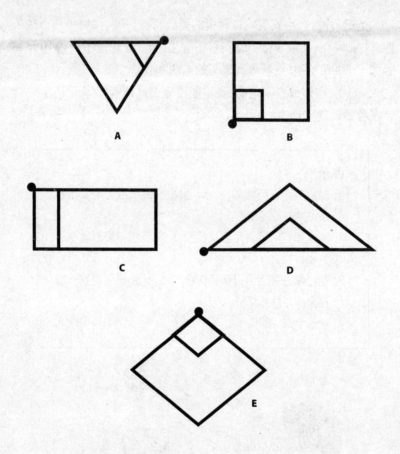

A

B

C

D

E

以上哪个图形与众不同?

参见第244页答案133。

魔术师

魔术师的桌子上,由浸在水中的干冰产生的二氧化碳气体正在冒烟。他用魔术棒轻拍冒烟的金属球,将其放入大小刚合适的木箱,神秘的事情发生了。盒子放在托盘上,大家都看见了,几分钟后,球不见了。可以用科学解释这个现象吗?

> **提示**
>
> 1. 金属球是实心的。
>
> 2. 盒子底部有一个小洞。
>
> 3. 球的大小是洞的30倍,无法穿过洞。
>
> 4. 盒子是热的。

参见第235页答案14。

ANSWERS

答案

答案 1

C. Dickens（狄更斯）。密码中的数字即是相应的字母在字母表中倒数的位次（Z＝1，A＝26，等）。

答案 2

C。

答案 3

20。将小时数和分钟数相乘，然后除以3，即可得到自行车手的号码。

答案 4

D。将号码的2个数字相乘。所得结果即是其目的地名字的首字母在字母表中的位次。

答案 5

9.05。分针每次拨快25分钟，时针每次往回拨5个小时。

答案 6

C。用2除左边的数字，将所得结果放入上部顶点，然后将该数平方后放入左边。最后，将所有三个数字相加，所得的和转化成罗马数字，放入三角形中央。在三角形C中，右边的数字应该是4，中间的数字应该是X。

答案 7

Carmen（《卡门》，比才创作），Fidelio（《费德里奥》，贝多芬创作），La Traviata（《茶花女》，威尔第创作），Lohengrin（《罗恩格林》，瓦格纳创作），Boris Godunov（《鲍里斯·戈多诺夫》，穆索尔斯基创作）。

用多余字母组合而成的歌剧是Don Giovanni（《唐·璜》，莫扎特创作）。

答案 8

图形由边数决定，具体如下：圆形1，L形2，三角形3，正方形4，五边形5，六边形6。从1开始，顺时针方向排列，第一次跳过1个图形，然后2个，依次反复。到达第8格时，接着从第2个圆盘的第1格开始，按照上述规律，继续下去。

答案 9

从左上角开始逆时针方向向内螺旋形旋转。

答案 10

384。从右上角开始，沿着正方形边线第一列从上至下，第二列从下至上，垂直交替排列，每次交替乘以4、除以2。

答案 11

D。除了D，其他都按照字母先后顺序排列。

答案 12

从左上角开始逆时针方向向内螺旋形旋转。

答案 13

18。外圈中的两个数字相乘，将所得的积的两个数字顺序颠倒后，所得结果放入下一个区域的中间位置。

答案 14

T。字母所代表的数值就是它在字母表中倒数的位次（Z＝1，A＝26），将同一行中连续两个正方形相加。所得之和转换成一个新字母后，放入上面一行中之前两个图形正上方的正方形中。

1. 赛道上的困惑

3号车驾驶员是他的母亲。

2. 不安定的和平

麦弗逊部落的人得到的号码为5、6、7、8、9、12、16、18、19、22、23、24、26、27和30。如果从1开始计数，所有麦弗逊部落成员将从船上跳下。

3. 萨利的清洗

脸盆管道被堵住，排水孔也被冻住。因此，只要萨利不开热水龙头，水就会留在脸盆里。

4. 惊叹

这个孩子在电视台播放的电影中看到的。

5. 被拒绝的新兵

他接受神枪手或狙击手的训练。由于他是色盲，因此他能够轻易地发现其他穿着迷彩服的狙击手。他是团队中非常重要的成员，因为他可以发现敌人并首先开枪。（这项技能尤其运用在丛林战中。）

6. 尼龙滚珠

他掉落到储藏箱底，最终因氧气不足死亡。

7. 消失的人

他已经融化了，因为他是个雪人。

8. 迎面相撞的蚂蚁

它们达成一致，不同时经过钢棒。

9. 百万富翁的遗产

只有当该数字为九进制数时，化为十进制后，共 7,000,000 或每人 1,000,000。

10. 女警

那个男人是她丈夫，他们将钥匙锁在房里，不得不破门而入。

11. 被抛弃的查理

查理是一只布谷鸟。准时指的是布谷鸟自鸣钟。

12. 如何作弄精灵？

阿拉丁选择一个信封，不打开，随即撕碎，然后叫国王打开另一个信封，国王念出的内容就是他拒绝的选择。

13. 终曲

音乐和灯光在同一个电路。急救设备和生命维持系统在另一路电路。夜间，音乐停止，灯灭了。混乱中，一位来访者无意间关掉了某个重要设备的电源，祖父就死了。

14. 魔术师

球是用冰冻的水银制成，水银融化，然后从盒子底部的小洞漏到一个玻璃容器里。盒子里面是干燥的。

答案 15

2。将表示重量的数字个位数减去十位数，即是马的号码。

答案 16

3.13。A的出发时间－A的到达时间=B的到达时间。B的出发时间－B的到达时间=C的到达时间，以此类推。

答案 17

142334。根据以下数字密码：字母A-E（包含）为1，F-J为2，K-O为3，P-T为4，U-Y为5，Z为6。

答案 18

Denver（丹佛），Buffalo（水牛城），Houston（休斯敦），Boston（波士顿），Seattle（西雅图），Miami（迈阿密）。用多余字母拼出的城市是Philadelphia（费城）。

答案 19

Blake（布莱克，英国诗人），Byron（拜伦，英国诗人），Dante（但丁，意大利诗人），Donne（多恩，英国诗人），Plath（普拉斯，美国诗人）。

答案 20

G。只有该选项是行板——乐曲速度术语，其他都是舞曲类型。

答案 21

Ratatouille普罗旺斯杂烩（炖焖蔬菜），这是唯一一道蔬菜。

答案 22

相对的两个扇形中的图形相同。

答案 23

48。每4个数字组成的小正方形中，将上面2个数字相乘，所得的结果放入右下角，然后将右下角的数字减去上角，所得的差放入左下角位置。

答案 24

C。取秒数的第一个数字。该数字即代表答案 首字母在字母表中的序位。

答案 25

Brecht（布莱希特，德国剧作家），Coward（考沃德，英国剧作家），Dryden（德莱顿，英国剧作家），Pinter（品特，英国剧作家），Racine（拉辛，法国剧作家）。

答案 26

21。Δ=12，*=9，♥=3，%=5，@=7。

答案 27

76。从左下角开始，顺时针方向，依次交替乘2、减6。

答案 28

Bacon（培根，英国画家），Bosch（博斯，荷兰画家），Klimt（克里姆特，奥地利画家），Manet（马奈，法国画家），Monet（莫奈，法国画家）。

答案 29

72。将长条中的两个数字相加，所得之和的各数字相乘，结果放入前面第3个正方形中。

---

15. 北极探险家

参与探险的3个人受天气影响被隔绝了，他们没有紧急救援物资。他最好的朋友和另一个同事出去寻找食物。回来的时候只有他同事一个人。整整14天，他同事一直告诉他，他们吃的是炖海豹。但是当他在餐厅尝过炖海豹时，他才意识到当时吃的是他最好的朋友。

16. 沉没的机器人

该星球的大小虽然与ZOD一样，但是质量却大得多。这意味着它的引力要大10倍，结果就造成机器人在这个星球上的重量比在ZOD上要重10倍。机器人因此陷落到无法行动的地步。

17. 大比尔

大比尔是灯塔看守员，前一天晚上整晚没睡，保证暴风雨最恶劣的时候灯塔的灯正常工作。航标上的警铃撞在岩石上损毁了，不能发出声音。灯塔的灯被错误地关闭，因此船撞在岩石上。

18. 摆渡者的难题

总共需要9次摆渡。将孩子们分别以A、B、C、D、E表示，假设年龄依次降序，河的两岸分别标为"近"和"远"，可以得出以下列表：

摆渡次数	近端	船上的孩子	远端
1.	A,C,E	B,D	无
2.	A,C,E	B	D
3.	B,E	A,C	D
4.	B,E	A,D	D
5.	B,D	A,E	D
6.	B,D	C,E	A
7.	B,D	C,E	A
8.	B,D	无	A,C,E
9.	无	B,D	A,C,E

每个孩子单向摆渡的次数均为3次。

19. 西门修士

西门修士是个幽灵，可以穿墙而过。

20. 上课

詹姆斯是老师。

21. 又一桩住宅凶杀案

Abbie

22. 三角形

11。见右图。

23. 送货员的等待

他在船上，必须等待下次涨潮才能进入卸货码头。

24. 搬家公司员工

搬家公司员工将偷来的邮票带到该市最大的邮票经销商处出售，后者认出这些邮票正是几年前从他店中被偷走的。他报警后屋主和搬家公司员工一起被逮捕了。

25. 持枪抢劫

顾客正在打嗝。看到蒙面枪手后的恐惧与喝水一样可以治疗他的打嗝。

26. 不会孵蛋的鸟

所有的鸟都是母的。

27. 不能拧动的螺丝

他用的是两用螺丝刀，有离合装置。上次使用螺丝刀的时候，是顺时针方向将螺丝嵌进板中。他忘了将螺丝刀上的可逆开关调到卸螺丝专用。

28. 漂浮的气球？

他们忘了关浴缸上的水龙头，水溢出来，门上的密封条使水无法渗到室外，造成房间里的水深达2英寸。

29. 洗碗

每一轮抽签的概率都是相同的，一段时间下来，这个孩子周日洗碗的次数跟其他每个孩子都是一样的（除非她的运气特别差）。

答案 30

Camus（加缪，法国小说家），Defoe（笛福，英国小说家），Dumas（大仲马，法国小说家），Verne（凡尔纳，法国小说家），Wells（威尔斯，英国小说家）。

答案 31

G。从左下角开始，按字母表顺序，逆时针方向旋转排列字母。跳过1个字母，然后跳过2个字母，然后1个，依次反复。到Z之后回到字母表开端重新开始。

答案 32

92。将正方形两条对角线两端顶点的数字分别相乘，所得的两个积相加，放在相邻的第三个正方形中间。

答案 33

44。数字按顺时针方向递增，每次跳过1根轮辐。每个圆盘递增量各不相同（2,3,4）。

答案 34

1956。数字都代表闰年，从顶点开始按顺时针方向排列，每次跳过一个闰年。

答案 35

Tiramisu（提拉米苏）。这是甜点，其他都是主菜。

答案 36

将第1列和第3列图形的扇形数量相加，将所得结果放入第2列。

答案 37

Fresno。按照字母表顺序，每次跳过2个字母。

答案 38

15。将小时数化为分钟数，加上分钟数，所得的结果除以10。取整数，余数不计。

答案 39

987。拖拉机号和重量相除即可得到英里数。所有的重量次序被打乱了。

答案 40

Kebab（烤肉串），Pasta（意大利面），Pizza（比萨），Tacos（炸玉米饼），Wurst（德国香肠）。

答案 41

Bartok（巴托克），Boulez（布列兹），Chopin（肖邦），Delius（戴留斯），Mahler（马勒）。

答案 42

脸谱顺序依次是笑脸、笑脸、无表情、哭脸、哭脸、无表情、无表情、哭脸。从左上角开始从左至右，一行从右至左横向交错排列。

答案 43

见第238页。

答案 44

将符号依次顺时针旋转180°，逆时针旋转135°，顺时针旋转90°，逆时针旋转45°。

答案 45

红心=8，方块=4，梅花=6，黑桃=2。

---

30. 不是那么科学

洞或者光束。

31. 疯狂的司机？

他看到马路对面有辆车横冲过来。

32. 打靶练习

前一天晚上下雪，因此他们是用雪做的球来打靶。

33. 夜贼

这名盗贼刚刚抢劫了隔壁的房子，然后他发现这幢房子着火了。他立即进入这幢房子拉响警报。检查房间的时候，他发现两个孩子被烟熏晕了，他将他们带到安全地带。邻居发现有东西失窃，他们报警的时候，失物仍然在盗贼手里。

34. 戴德伍德驿站马车

马车离开时他在候车室睡得太熟了。

35. 窗帘店

窗帘上还有横条纹，因此窗帘是格子的。

36. 安东尼和克里奥佩特拉

它们是两条宠物鱼，有裂缝的是鱼缸。

37. 移动的行李箱

一场猛烈的龙卷风席卷过他们的公寓，将物品卷到几英里之外的地方。有个好心的女士在她的花园里发现这些箱子，由于地址标签上没有写明地址，她决定将行李箱放在路边，失主驾车经过的时候会看到。

38. 节假日

Saturday（星期六）、Wednesday（星期三）、Tuesday（星期二）、Thursday（星期四）、Sunday（星期天）、Monday（星期一）和Friday（星期五）（在首日之后按照字母表降序排列）。

39. 消失的款待

袋子里的是棉花糖。雨水从袋子顶部的洞流进袋里，糖融化了，变成一小滩粉色液体。

40. 我们捉鬼去！

将目前的房间号乘以目前两次闹鬼之间的天数，然后减去两次闹鬼之间的天数。两次闹鬼之间的天数每个季度增加1晚。下次鬼出现将是：(9×4)-4=32，因此应该是第32号房，每5晚出现。

41. 业余的保险箱窃贼

这两个窃贼没有将火药压紧或装在容器中以引起爆炸，所以就像点燃火池的火药，只有火光一闪和一阵烟雾。

42. 弱者生存？

你的第一枪应该对在自己身后，或者故意对着空气。你不能向Nevermiss伯爵开枪，因为这样做且又没有打中他的话，Bullseye勋爵将在后面的一枪或两枪中解决你。如果你向Bullseye勋爵射击，打中的话，Nevermiss伯爵下会失手，他对你的获胜几率是2:1，情势有利于他。如果你打中Nevermiss伯爵，Bullseye勋爵对你的获胜概率是6/7，而你只有1/7。但是如果你故意打中的话，你可以有机会向他们中任一个再打一枪。如果Bullseye勋爵打中伯爵，你还有3/7的几率。勋爵只有1/3的几率，所以他不打中伯爵（这样伯爵就会处理掉勋爵）。这样你对伯爵的获胜几率是1/3。你朝向空气开枪，你的概率上升：你在决斗中幸存的概率是25/63（约40%）而Bullseye勋爵的概率变成8/21（38%）Nevermiss伯爵的概率是2/9（22%）。

43. 火

他们是睡在冰屋的探险者，刚建了一座冰屋。

44. 新年快乐，再来一次

她是宇航员，有一次正好处于格林威治日期变更线上空的静止轨道。每个时区在她下方旋转经过，她就庆祝了24次新年。其余几次是她从东往西飞，经过三根日界线，当时地球刚好是午夜时分。

45. 强壮的游泳健将

海底发生断层，夹带的大量空气被释放出来，变成小水泡浮出。海水密度因此减小，低于人体的密度，所以他沉下去了。

答案 43

A	R	C	D	E	T	R	I	O	M	P	A	R	C	D	E
R	R	R	T	E	D	C	R	A	H	P	M	O	I	R	T
C	D	C	T	R	I	O	M	P	H	E	A	R	C	D	I
I	D	E	T	D	E	T	R	I	O	M	A	R	C	D	E
H	P	M	O	I	R	T	E	D	P	M	O	I	R	T	R
A	R	C	D	E	T	R	I	E	O	M	P	H	E	A	R
C	R	A	E	H	P	M	T	E	D	I	R	T	E	D	C
D	E	T	R	I	O	R	M	P	H	C	E	A	R	C	D
C	D	T	R	I	I	O	M	P	H	E	R	M	I	I	E
R	A	E	H	O	P	M	O	I	R	T	P	A	R	R	T
O	M	P	M	H	E	A	R	I	D	E	H	O	T	T	R
I	R	P	T	E	D	C	R	A	E	H	E	I	E	E	I
R	H	C	D	E	T	R	I	O	M	P	A	R	D	D	O
E	A	H	P	M	O	I	R	T	E	D	R	T	A	C	M
D	E	T	R	I	O	M	P	H	A	R	C	E	R	R	P
C	R	A	H	P	M	O	I	R	T	E	D	D	C	A	H

答案 46

Idaho（爱达荷州）, Iowa（艾奥瓦州）, Maine
（缅因州）, Texas（得克萨斯州）, Utah（犹他
州）。多余的字母是K和L。

答案 47

C。将所有数字相加，所得的结果即为目的地城镇名
字的首字母在字母表中的序号。

答案 48

Sky Fly。这匹马的名字不含元音字母。

答案 49

C。如果你从地球出发，除了C以外，其他选项按顺
序正好距太阳越来越远。

答案 50

Bodega（酒窖）, Bonsai（盆栽）, Ersatz（代用
品）, Hombre（男人）, Kitsch（庸俗的艺术作品）。

答案 51

序列顺序是：
1, 2, 2,3, 4, 4, 1, 2,
3, 3, 4。从左上角
开始，横向从左至
右，下行从右至左
交错排列。

3	3	2
2	3	4
3	2	1

答案 52

规律是：+2片鳞，+3片鳞，-1片鳞。鱼鳞为偶数的鱼朝
向相反。

逻辑题答案

46. 一封能治愈聋病的信

一张纸，上面写着字母"A"。方法是"her"添加
"A"，你就会得到"hear"。

47. 赌场

他们是一支乐队，为顾客演奏背景音乐。赌场付他们
钱，他们并没有参与赌博。

48. 乱收费的牛

拥有附近农场的一户姓牛的人家向他们征收20英镑过路
费。

49. 不要过早下结论

他是神父，他出生时，他父亲在场。

50. 跳跃到安全地带

他的房子建在山丘上 / 他的房子建在地平面以下。

51. 飞机

这是最早的商用喷气式飞机飞行时期，当时需要调查包
含"彗星"号在内的飞机发生的一些无法解释的奇异事件。
"彗星"号是首架飞越大西洋的商用客机。它比其他商用机
飞得更高、更快，因此承受了其他飞机不曾经历过的压力。
最大的问题在于飞机机身受到的压力比外部大。设计师发现
在受压情况下在机身上放置水可以最佳模拟这种情况。由此
他们发现了设计存在的很多缺陷，特别是窗户周围。这些发
现大大提高了喷气式飞机的飞行安全。

52. 在泥土里

一个孩子落下时脚着地，他的脸没有碰到灰尘弄脏。
当他看到他朋友的脸上都是灰尘，他认为自己的脸也一定脏
了；他的朋友只看到对方的干净脸。因此脸脏的孩子不认为
自己需要清洗。

答案 53

规律是 + 1 条肢，+ 2，+3，-2，-1，+1，+2，+3。答案应为肢体数量两边不等、上下颠倒的火柴人。

答案 54

从相对的两个顶点开始，又从左向右，下一行从右向左交错行进，圈从右向左，下一行从左向右交错行进，都依次交替走1步、2步。

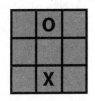

答案 55

从垂直线开始，以这根线为中线反射圆点，然后按

顺时针方向，分别以每根线为中线进行反射。

答案 56

23。

答案 57

每个轮盘对应区域内的小扇形分别涂成黑色。

答案 58

Brunel（布鲁内尔，英国科学家），Darwin（达尔文，英国科学家），Edison（爱迪生，美国科学家），Pascal（帕斯卡，法国科学家），Planck（普朗克，德国科学家）。

答案 59

S	E	R	E	P	E	N	S	T	I	N	E	R	E	S	E
E	E	S	E	N	R	P	E	N	S	E	R	P	E	N	T
R	S	R	S	E	I	S	R	T	E	R	P	E	N	T	I
P	E	P	P	S	E	T	P	I	N	E	N	E	S	S	S
E	R	E	S	N	T	N	N	E	R	I	N	N	N	E	E
N	P	N	E	R	T	E	T	E	P	N	S	E	E	I	R
T	E	T	R	P	S	I	I	T	P	T	R	T	P	N	N
N	N	I	P	E	E	N	N	T	R	R	S	E	P	N	E
E	T	N	E	N	T	E	E	E	S	E	T	E	E	N	N
I	N	E	N	T	R	S	E	S	R	E	T	S	N	P	T
S	E	R	T	P	E	N	T	I	N	E	T	S	T	R	I
S	E	R	N	P	E	N	T	I	N	E	N	E	N	I	E
E	S	R	E	I	S	E	R	P	E	N	T	I	N	S	E
S	E	T	E	N	N	I	T	N	E	P	R	E	S	T	E
R	S	E	N	E	I	T	N	I	P	R	E	S	E	S	T
S	E	R	P	E	N	S	N	I	T	N	E	P	R	E	S

53. 野蛮的袭击

这名女士在商场突然心脏病发作。她的心跳突然停止。帮助这名女士的男子是路过的医生。他让她的心脏重新跳动，然后将她放入他的车内，在警察的护送下直接开车到附近的医院。刚开始警车速度有些慢，所以不得不追赶他，然后才能在前面为他清路。

54. 打碎的花瓶

这两个花瓶是某知名陶艺大师仅存于世的作品。这个人已经拥有一个，打碎另外一个，即可保证他的花瓶是唯一的一个。

55. 赌马者乔

他下注赌的是两星期前的赛马，当时他买的马跑了最后一名。而报纸上的是前一天的赛马结果，那匹马赢了。

56. 茶会

小女孩在她的游戏房中。她必须先通过游戏房的正门，然后穿过家里房子的正门才能到达前花园。

57. 1930年代

这是一架海上飞机。原计划中的第一次着陆点水域情况过于恶劣，无法保障安全着陆，所以驾驶员改道飞到一个陆地飞机场降落。

58. 伪造大师

他希望将他公寓里的50英镑纸币替换成一张有瑕疵的纸币。这个瑕疵只有那张纸币上才有，当市面上出现很多这种纸币时，就只可能追查到他了。

59. 善妒的丈夫

男人=ABC　女人=abc

近岸	船	对岸
ACac	Bb	无
ACac	B	b
ABC	ac	b
ABC	a	bc
Aa	BC	bc
Aa	Bb	Cc
ab	AB	Cc
ab	c	ABC
b	ac	ABC
b	B	ACac
无	Bb	ACac

答案 60

D。其他都是城市名，只有Kansas是州名（Kansas市实际上跨越Missouri-Kansas边界）。

答案 61

61。前一个字母代表的数值就是它在字母表中的位次（A=1）。相邻的字母即代表它在字母表中倒数的位次（A=26），二者交替排列。

答案 62

C。从右上角开始，按字母顺序，从上至下，下一列从下至上，纵向交错排列，每次分别跳过序号为1、2、3、4、5、4、3、2、1、2……的字母。

答案 63

Gallus（加卢斯，251~253年在位），Jovian（朱维安，363~364年在位），Julian（尤利安，361~363年在位），Trajan（图拉真，98~117年在位），Valens（瓦伦斯，364~378年在位）。

答案 64

M。这些字母都只有直边。

答案 65

64。将数字的个位和十位拆分开来看。规律是：1, 2, 3, 1然后2, 3, 4, 2，然后3, 4, 5, 3，最后4, 5, 6, 4。

答案 66

18。所有这些数都可以被3或4除尽。

答案 67

B。其他选项两个数字相加之和都等于6。

答案 68

1980。每个元音记为243，每个辅音记为126。

答案 69

576。用速度乘号码，所得结果就是下一个气球的飞行距离。

答案 70

规律是：＋＋－－÷÷×××

从左上角开始，向内顺时针方向螺旋形旋转。

答案 71

6。每个正方形中，将左侧上下2个数字相乘，然后将右侧两个数字相乘。用第一个结果减去第二个结果，即是中间的数字。

答案 72

75。将每个正方形左侧上下两个数字相乘，然后将右侧两个数字相乘。将两个积相加，然后将所得之和的个位和十位数对调，放入正方形中央的位置。

答案 73

用2除左边的数字，将所得结果放入上部顶点，然后将该数平方后放入右边。最后，将所有三个数相加，所得的和转化成罗马数字，放入三角形中央。在三角形C中，右边的数字应该是4，中间的数字应该是X。

答案 74

B。每个正方形上端2个数字相乘，然后下端2个数字相乘。将前一个积减去后一个积，所得的差转化成罗马数字，放入正方形中间。正方形B应该是×××（20）。

60. 砾石场

珠宝被扔进流沙区。小乔已经不记得那里是流沙，大艾尔叫他去取珠宝。小乔尝试了一下，然后就陷下去了，找不到踪迹。警察甚至都不知道小乔已经死了。

61. Lock'emup红衣主教

有一个墨水池内的墨水是会消失的墨水。当警卫队长拿到信的时候，看到只有印章，而没有其他内容，他就逮捕了火枪手，直到他联系上主教。

62. 一杯咖啡

他在第一杯咖啡中放了糖。

63. 邋遢的吃客

他带的是罐装水果或事先准备好的水果。

64. 阿拉伯王子的车

将空气清新剂吸附在前挡风玻璃上的透明塑料吸盘形状类似透镜，就像放大镜一般将阳光聚焦到报纸上。报纸着火了，最终车子被烧毁。

65. 迷失在大海

他是一艘内河轮渡船上的船长。他绕行的地球指的是他船舱里装饰用的地球仪。

66. 埃及谜题之王

立方体有两个鸠尾榫。上半部分可以以45度角推移开。

67. 彩票得主

330,000英镑（每级按15,000英镑递增）。

68. 上升

这座山是在海底，水的浮力将他托起。

69. 外部世界

他是条金鱼，鱼缸打破了，对他就是致命的结果。

70. 伟大的足球运动员要退役了

整个上半场以及下半场имя10分钟，他代表俱乐部踢球。上半场他为俱乐部进了2球，随后他下场，最后35分钟他受邀代表国家队踢球，又进了2球。另外的一球是乌龙球，并非他所进。

71. 交易

这里将会围海造地，作工业用途。他的公司拥有开垦合同。这块地很快就会价值连城。

72. 父与子

乔和他儿子下象棋获胜（或类似项目）。

73. 进化

岛A上的动物x是只驴。岛B上的动物y是马。岛C上的动物z是驴。岛B上的新动物是公驴和母马所生的骡子。岛C上的新动物是母驴和公马所生的骡子。

74. 错过的火车

他看到的钟是在镜子中的影像。上面显示12:45，但是由于钟的表盘上没有数字，只有指针，因此看上去就像11:15。

答案 75

R。从左上角开始，按字母表顺序，从上至下，下一列从下至上，纵向交错排列，每次跳过一个字母。

答案 76

17。

答案 77

JOL 1714。在字母表中向前5位，后退3位，后面用数字表示，数字即为字母在字母表中的位次。

答案 78

35226252257。将报纸名称解码，所得的数字即是气球的号码。A-C=1，D-F=2，G-I=3，J-L=4，M-O=5，P-R=6，S-U=7，V-X=8，Y-Z=9。

答案 79

第52。根据字母在字母表中的位置，将相应的数值相加。

答案 80

29。按顺时针方向将每行每列两边方格中的数字相加，将所得之和放入下一行或列的中间格。

答案 81

F。字母所代表的数值就是它在字母表中倒数的位次。将每行、每列两端相加，所得之和放入对过行或列的中间格。

答案 82

58。将前一个数各数位的值相加，所得数值即为向前移动的位次。

答案 83

D。将图像水平翻转，然后将每个标志顺时针移动一个位子。

答案 84

QUS2321。在字母表中向前4位，后退1位，后面用数字表示，数字即为字母在字母表中的序位。

答案 85

第201。字母所代表的数值就是它在字母表中倒数的位次，将所有数值相加（A=26，Z=1）。

答案 86

E。沿着水平线对折图形，阴影部分覆盖没有阴影的地方。

答案 87

Picasso（毕加索）。将每个数分别减3，所得的数字即为相应的字母在字母表中的位次。

答案 88

G。奇数加3，偶数减2。

答案 89

E。外部图形换到内部，缺口按顺时针方向旋转90°

答案 90

84。将A的小时数乘以B的分钟数，得到C的吨数，然后由B的小时数和C的分钟数相乘得到D的吨数，C的小时数和D的分钟数相乘得到E的吨数，D的小时数和E的分钟数相乘得到A的吨数，E的小时数和A的分钟数相乘得到B的吨数。

75. 公共汽车司机

两个公共汽车司机是夫妻；一个是小孩母亲，另一个则是父亲。

76. 选举出的国王

只有不大聪明的那个孩子是男性。

77. 液体池

他掉进的是水银存储池。他被送往医院清除有毒物质，因为水银会造成健康问题。在室温状态下，水银不会弄湿皮肤。

78. 困惑和谎言

如果说孩子是男孩，那么第二个说话的人肯定是母亲，她的第一句话是真的，第二句话是谎言。但是家族中的男孩不撒谎，所以这个选择不可能。假如孩子是女孩，第一个说话的人是父亲，第二个说话的人是母亲，她的第一句话是假的，第二句话是真的。如果是这样的话，孩子说的就是真话，说的应该是"我是个女孩。"但是这意味着第一个说话的人撒谎了，而男性是不撒谎的。这个选择同样不可能。通过推理可知第一个说话的人应该是母亲，孩子说的是"我是男孩。"母亲说的第一句话和孩子说的都是谎话。孩子是女孩。

79. 加法正确吗?

她们是外祖母、母亲和女儿。两个母亲、两个女儿。

80. 外星人会议

127。

81. 汽车位置

刚开始向前开，然后倒车。

82. 皇帝的新衣

这是生日游行，所有参加游行的人都拿着自己出生时的照片。

83. 森林大火

为了扑灭大火，消防员用直升机从附近湖中抽水。他们抽水的时候，将这个人一起抽了上来。水浇在火上熄灭了大火，但是这个潜水的人却被摔死了。

84. 家庭问询

"萨利，你在里面吗？"或者"你在吗？"等等。

85. 水果疑案

水果都是用蜡做的；是蜡烛，这个妇女点燃后就离开了房间，所以蜡烛都燃烧完了。

86. 猎豹和鬣狗

星期四。

87. 高尔夫球手

他们正在俱乐部里玩飞镖。挑战的目标是看谁能用3标得分最多。

88. 圣约瑟夫教堂

他的父亲是意大利大使，他从罗马搬到华盛顿。丹尼尔只会说意大利语。

89. 手提箱中的装尸袋

他是个兼职口技表演家，男孩是他的木偶。

90. 我的作业是正确的!

他在手表上做加法。10点+7小时=5点。

241

答案 91

I。字母代表的数值就是其在字母表中倒数的序号。上端和下端的字母序号相加之和即为中间方格的字母序号。

答案 92

应该是2点。将每行或每列两边方格内的点数相加，所得之和放入对过行或列中间的方格内。

答案 93

E。根据字母在字母表中的序位，将第一列和第三列相乘所得的积放入中间列。

答案 94

D。按顺时针方向将菱形两个相邻顶点的数字相加，所得之和放入下一个图形对应的第二个顶点位置。四个顶点数字相加之和即为下一个菱形中央的数值。

答案 95

增加1片叶子。增加2片花瓣。减去1片花瓣、并增加一片叶子。依次反复。

答案 96

Renoir（雷诺阿）。取密码中的字母在字母表中的后一个字母，颠倒后即是画家的名字。

答案 97

16。

答案 99

39。

答案 98

S	T	A	T	U	E	O	R	T	S	T	A	T	U	E	S
S	R	E	B	I	L	F	O	E	U	T	A	T	A	T	D
L	S	T	A	T	U	L	I	B	E	R	T	O	F	F	A
I	L	I	B	E	R	T	E	L	I	B	E	R	L	O	T
B	O	F	L	I	B	U	E	O	S	T	A	I	F	S	U
E	T	S	T	A	T	U	E	O	F	S	B	T	S	O	F
R	O	F	L	A	S	U	F	T	L	E	T	T	A	S	L
T	I	C	T	B	T	L	R	I	T	Y	A	S	T	T	I
Y	U	S	E	A	I	S	B	Y	T	T	A	T	U	A	B
E	L	I	T	B	B	E	E	S	T	A	T	U	E	T	E
R	T	S	E	Y	R	Y	T	R	E	B	L	F	O	U	R
S	T	R	A	T	U	S	O	F	L	I	B	E	R	T	Y
L	T	I	S	B	E	T	O	F	S	T	A	T	U	E	O
Y	T	A	T	U	E	A	F	O	T	R	E	B	I	L	F
E	B	I	L	F	O	T	S	T	A	T	U	E	O	E	L
R	T	S	T	A	T	U	T	S	F	O	T	R	E	B	I

91. 假日灾难

Bill Drallam（顺序颠倒即是Mallard）是只鸭子。它们在飞机升空时飞到飞机前面，进入发动机进气道，造成飞机坠毁。如果只有一只或两只鸭子飞进发动机，飞机可能幸免于难，但是几只鸟都被撞到，吸到发动机里。

92. 漏水的管子

管子是水平放置的，第二条裂缝在管子顶部。前面一半水用了1小时漏光，后只有一条裂缝漏水，余下的水花了2小时漏光。

93. 继承的房子

大海侵蚀了悬崖，距花园已经不到30码。他发现如果要保护房子不受进一步侵蚀，经济上划不算。专家告诉他大概只需过5年，房子就会被大海漫没。

94. 廉价的购物者

他更换了所有的条形码，在他购买的商品上贴上了从相同物品小包装上取下的条形码。他购买的商品都是大包装，他的账单应该最起码是现在的3倍之多。付款处的商店营业员发现一条条形码松了，于是按响了警铃。

95. 两兄弟

信内有一根白色羽毛，这是胆小鬼的象征。为了让家族摆脱耻辱，他只好表现自己的英勇。

96. 危险的邻居?

Mark。警察将问号解读为"Question Mark Price！"

97. 安静

他是笼子里唯一会说话的鹦鹉。

98. 点不着火的探险者

尼尔和戴夫是宇航员，他们正在月球上进行试验。月球上缺乏氧气，因此无论他们怎么尝试，结果都是失败。

99. 开会

Rain（下雨）。将Iran字母重新排序（如同Nepal是将plane颠倒顺序，China是将chain颠倒顺序）。

答案 100

10。所有的数字加2，放入一个三角形对应的位置，然后减3，再加2。

答案 101

序列的规律是：@、@、%、*、%、&、&、*、%。从右上角开始，向内逆时针方向旋转。

答案 102

Degas（德加，法国印象派画家）。密码中的每个字母与字母表末端相隔的字母数，即为画家名字中的字母与字母表开端相隔的字母数。

答案 103

J。其他图形都成对出现。

答案 104

D。逆时针旋转图形90度，变换每个箭头方向，两个动作交替进行。

答案 105

A。每个圆环内叉的个数较之前一个图形增加一个，相邻两个圆环内首尾两个叉并排。

答案 106

G。上、下两个图形交换位置，中间较小的图形变得更小，这三个图形全部移到中间较大的图形内部。

答案 107

E。每个图形交替添加横线和竖线（或颠倒顺序），切分成更小的图形，只有E中连续添加2根竖线。

答案 108

E。其他图形都由三根直线组成，只有E有4根直线。

答案 109

C。将字母转化成其在字母表中的位次相对应的数字。三角形每个顶点的数值相加之和即是三角形中央的数值。

答案 110

9。将正方形按顺时针方向旋转，每个数字分别增加1。

答案 111

12。将转盘A和C相同位置内的值相加，将结果置于对面转盘B位置内。

答案 112

G。两个图形成垂直对称，有阴影和无阴影部分颜色互换。

答案 113

B。每个拱形同时向对边移动，且每次移动的距离相等。

答案 114

B。

答案 115

排列规律是：
ZRTTUWWZZS

从右下角开始，从右至左，再从左至右交错横向排列。

答案 116

B。

100. 满满一桶酒

他用清水清洗一些小石子和沙子，将洗好后晾干的这两样东西放入瓶子里。然后将瓶子伸入桶孔。石子和沙子进桶，酒则进入瓶子里。

101. 空气污染问题

化工厂东面没有人居住。

102. 小安妮

安妮得到圣诞礼物，她用大富翁游戏中银行里的钱买东西。店主很了解她，所以没有生气。

103. 均分

第一个孩子有10个25美分的硬币，第二个孩子有16个10美分的硬币，第三个孩子有26个5美分的硬币。

104. 笨重的钢琴

堆在钢琴上的东西滑向乔一端，他对阿尔夫说道，"帮忙搭个手把它们移开！"阿尔夫奔到商场，从一个人体模型上拿下一只手，放在乔上衣口袋里。

105. 不幸的锁匠

锁匠在将自动激活系统重新设置好之后同银行经理一起被关在房间里。他正从银行经理处接过最后的工具。

106. 球迷

庆祝的时候下雨了。他先涂蓝色颜料，然后在上面涂一层黄色即变成绿色，蓝色颜料是不溶于水的，黄色颜料却是可溶的，因此被雨水冲掉了。

107. 消防演习

有人见到学校外出现一群杀人蜂。

108. 花束

1. 5
2. 17
3. 4
4. 10
5. 38

109. 过度拥挤的停车场

使所有停车位与墙壁成直角。

110. 吝啬鬼鲍勃的遗嘱

法官裁定将钱平分给所有的亲戚，但是他们每个人都要按照自己所得的金额开支票给鲍勃。如果这些钱在鲍勃火葬后一年内没有兑现，钱就可以被保留下来。

111. 来自过往岁月的横向思维智慧

10TO10（Ten to ten或9:50分）。

112. 陆军下士

他穿着制服。

113. 医生出错了吗?

是实习医生的指导医生发生心搏停止。学生的急救行为挽救了他的生命。农场工人经检查后，在脚踝处临时打上石膏，然后被允许回家了。

114. 造成困惑的双胞胎

115. 玻璃头像

将两部分对齐，在绳子下端悬挂重物，将头部慢慢放下。在底座上有规则地放几粒糖或其他水溶性物质。将头放下来，移走绳子。然后喷水，首先喷中间那堆物质。（同样可以使用冰。）

116. 登山者

他们乘坐油轮前往目的地。当天晚上船被撞毁了，他们所在的船舱掉落到水平面下。由于水压关系，门打不开，他们无法逃脱，救援人员没能及时解救他们。

答案 117

F。曲线变直线，直线变曲线。

答案 118

A。

答案 119

V。字母所代表的数值就是它在字母表中倒数的位次（Z=1，A=26）。将两个底角的数值与三角形中央的数值相加，所得的结果即是顶点的值。

答案 120

3。正方形按逆时针方向旋转，对应的数字每次减2。

答案 121

9。将圆盘2和3中相同区域内的数值相乘，所得之积放入圆盘1按顺时针方向相邻的一个区域内。

答案 122

N。背面的上一个字母按照字母表顺序向前移动5个序位得到下一个字母。

答案 123

T. Hardy。密码中的每个字母都是作者名字组成字母的后一个字母，例如，"U"在字母表中跟在"T"之后。

答案 124

C。小圆圈的数量与内部另外一个图形的边数相等，只有C圆圈数量比边数多1。

答案 125

E。其他选项都由连续的3个字母组成。

答案 126

B。减一个点和一条线，增加两个点和两条线，如此反复。

答案 127

E。其他选项中每个半月形都有两颗星。

答案 128

C。

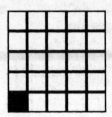

答案 129

小黑格沿着正方形横向交错行进，从左上角开始。依次向前2格，然后3格，然后4格等等。

答案 130

D。纵向交替排列，并且各组成元素分别向上移动2个位置。

答案 131

J.Austen。每个数字即是相应字母在字母表中位次的翻倍。

答案 132

E。其他所有选项都由3个连续数字组成。

答案 133

D。其他图形上的圆点同时位于一大一小两个图形边线的相交处。

答案 134

A。两根短线轮流交替按逆时针方向移动一个位置，因此它们之间不是成90°就是成180°。

答案 135

规律是: 7, 1, 1, 3, 2, 2, 5, 5, 4, 1。

从右上角开始逆时针旋转。

4	2	2
1	5	5
7	1	1

答案 136

+ ÷ - x - +。字母所代表的数值即为其在字母表中的位次,因此等式即为:

$$\left[\left(L(12) + D(4)\right) ÷ B(2) - F(6)\right] \times K(11) - Q(17) + C(3) = H(8)$$

答案 137

8。每个钟的两根指针所指向的数字之和都为13。

答案 138

13。

答案 139

Independence。将所有单词的首字母重新组合可以得出: Madrid(马德里)。

答案 140

B。只有这个选项的图形每行每列都少于3个方框。

答案 141

B。按逆时针旋转方向,第一个正方形的规律是: 8根线条,空一格,7根线条,空一格。每个正方形中第一次空格前的线条数量依次递减1。

答案 142

7。将每个正方形外围3个数字相加(A),将所得之和的个位和十位相加(B),然后用B除A所得的数值放入小正方形对应的位置。

答案 143

 从右上角开始,横向交替排列。规则是: 跳过1个方格,旋转180度,顺时针旋转90°,跳过1个方格,顺时针旋转90°,旋转180°。

答案 144

4。

答案 145

B。只有该图形添加一根线后会形成一个与长方形相邻接的三角形,而长方形则与正方形部分重叠。

答案 146

F。小图形变成大图形,大图形变成小图形。

答案 147

A。只有该选项的边数为奇数。

答案 148

D。只有这个图形添加一个圆形之后,三角形和圆形重叠,直角线与三角形的一条边完全平行。

答案 149

B。

答案 150

58。将前一个数的个位和十位相加,所得之和加上前一个数字即是后面的数字。

答案 151

21。将数字乘以圆盘对面位置、且处在轮辐同侧的数字,将所得结果放入该扇形接近中心的区域。

答案 152

2。

答案 153

C。只有这个选项包含数量成单数的图形元素。

答案 154

D。圆形变正方形，直线变圆形，正方形变直线。

答案 155

D。其他符号都是对称的。

答案 156

F。圆形和正方形分别变成正方形和圆形。清除最大的图形内部所有的元素。

答案 157

不。她不喜欢首都城市。

答案 158

不。因为Illinois名字中包含字母S。

答案 159

是的。因为Swansea不包含字母O。

答案 160

将符号依次顺时针旋转180°，逆时针旋转135°，顺时针旋转90°，逆时针旋转45°。

答案 161

E。增加2个圆形、2条直线，然后各减去1个，依次重复。每次将图形按逆时针方向旋转90°。

答案 162

前进、后退、前进、后退。

答案 163

D。

答案 164

规律是：1.00, 2.00, 2.00, 1.00, 3.00, 3.00, 2.00, 4.00, 4.00, 3.00, 5.00, 5.00, 4.00, 6.00, 6.00。从左下角开始从下到上，下一列从上到下，纵向交错排列。

答案 165

E。

答案 166

Washington（华盛顿）。

答案 167

C。

答案 168

D和E。

答案 169

B。只有这个图形有14条直线，其他都只有13条。

答案 170

C。只有该选项的"台阶"线数量不及三角形数量的一半。

答案 171

Pantagruel（庞大固埃，讽刺小说《巨人传》中的人物）。

答案 172

Frankenstein（弗兰肯斯坦，是英国女作家玛丽·雪莱在1818年创作的同名小说中的人物）。

答案 173

E。正方形变成圆形，圆形变成三角形，三角形变成正方形。

答案 174

B。

答案 175

A。每个形状的数量每次增加1，到3之后重归为1。图像按照由2个元素组成的形状两边互成反射图形。

答案 176

Excalibur（亚瑟王的神剑）。

答案 177

Nostradamus（诺斯特拉达穆斯，为法国星相学家）。

答案 178

H。长矩形变换阴影颜色。较短的矩形和箭头互换形状和阴影。然后将整个图形垂直翻转。

答案 179

B。唯有该图形的竖线和横线数量相同。

答案 180

E。前一个字母在字母表中的后续字母两个并列放置、且朝向相同。

答案 181

D。

答案 182

序列规律如下所示。
从左下角开始，按顺时针方向旋转。

答案 183

B。根据字母表倒数顺序，将每个扇形外圈的两个字母所代表的数值相加，所得之和放入对面扇形的内圈中。

答案 184

-x+-÷+。 $\left[(9-3)\times4+19-8\right]\div5+4=11$。

答案 185

B。其他图形的直线和曲线数量相等。

答案 186

F。圆形和长方形互换，并排的3个圆形消失。

答案 187

后退、后退、前进、后退。